verrines choco

José Maréchal

Photographies de Akiko Ida

PETITS PLATS MARABOUT

Sommaire

Carnet pratique

Poches à douille et emporte-pièces

Bien plus pratiques que les petites cuillères et autres mini-louches, les poches sont devenues un outil indispensable pour le montage des verrines. On les trouve jetables dans les grandes surfaces ou réutilisables dans les boutiques spécialisées en pâtisserie. Vous pouvez aussi utiliser un sac de congélation dont vous découperez un des coins.

Utilisez des emporte-pièces ronds et unis. Mais si vous n'en avez pas, un verre retourné fera parfaitement l'affaire !

Chantilly

Elle reste un élément de base pour la réalisation de vos verrines et se prête à toutes les variations : vanillée, chocolatée, épicée ou fruitée.

Pour réussir une chantilly, utilisez la crème liquide à plus de 33 % de matières grasses. Le saladier et la crème doivent être très froids.

Cornet en papier

Pour des décorations en chocolat plus fins, des filaments, des petits dessins, des écritures…

Découpez un triangle rectangle en papier sulfurisé, enroulez-le sur lui-même et vous obtiendrez une mini-poche ultra précise.

Siphon…

… à chantilly ? Oui, mais pas seulement ! Un jus ou un coulis de fruits, du lait de coco se transforment en mousse légère en un clin d'œil.

POUR 6 À 8 VERRINES | PRÉPARATION : 30 MINUTES | CUISSON : 20 MINUTES | RÉFRIGÉRATION : 1 H 30

Crumble tout chocolat

Crème au chocolat
20 cl de lait
30 cl de crème liquide
70 g de sucre en poudre
6 jaunes d'œufs
250 g de chocolat noir à 58 %

Pâte crumble au cacao
100 g de farine
100 g de sucre en poudre
30 g de cacao en poudre
70 g de poudres d'amande
125 g de beurre ramolli

15 cl de glaçage (voir recette p. 34)
ou nappage au chocolat
2 c. à s. de cacao en poudre

Mettre dans un saladier tous les ingrédients de la pâte. Malaxer du bout des doigts afin d'obtenir des miettes de crumble. Réserver au réfrigérateur 20 minutes au moins.

Pour la crème au chocolat, chauffer le lait et la crème liquide dans une casserole à feu moyen. Fouetter énergiquement les jaunes d'œufs et le sucre dans un saladier, puis verser le lait et la crème bouillants sur les œufs battus. Bien mélanger et remettre le tout à feu doux, comme une crème anglaise. La crème va légèrement épaissir et napper la spatule mais elle ne doit surtout pas bouillir. Verser la crème chaude sur le chocolat cassé en morceaux et bien mélanger le tout.

Remplir les verrines aux deux tiers et les placer au froid 1 heure au minimum.

Préchauffer le four à 180 °C.

Étaler les miettes de crumble sur une plaque à pâtisserie ou un moule à tarte et les cuire 8 minutes environ. À la sortie du four, laisser refroidir les miettes 15 minutes environ.

Pendant ce temps, napper les verrines de glaçage ou de nappage au chocolat et les remettre au réfrigérateur.

Juste avant de les servir, recouvrir les verrines de crumble et les saupoudrer de cacao.

POUR 8 À 10 VERRINES | PRÉPARATION : 45 MINUTES | CUISSON : 18 À 20 MINUTES | RÉFRIGÉRATION : 2 HEURES

Délice du Café noir n° 2

Ganache au chocolat au lait
250 g de chocolat au lait
10 cl de crème liquide
15 cl de lait

Mousse au chocolat blanc
150 g de chocolat blanc
25 cl de crème liquide
1 feuille de gélatine
riz soufflé au chocolat

Mousse au chocolat noir
200 g de chocolat noir à 70 %
15 cl de crème liquide
25 cl de lait
30 g de sucre en poudre
3 jaunes d'œufs

Pour la ganache au chocolat au lait, porter à ébullition le lait et la crème liquide, dans une casserole à feu moyen. Verser ce mélange bouillant dans un saladier sur le chocolat cassé en petits morceaux et bien mélanger pour lisser la ganache. Garnir les verrines au quart de leur volume et les mettre au réfrigérateur.

Pour la mousse au chocolat blanc, ramollir la gélatine dans de l'eau froide. Dans une casserole, à feu doux, porter la moitié de crème liquide à ébullition, puis y faire fondre la gélatine. Verser dans un saladier sur le chocolat blanc cassé en petits morceaux. Bien mélanger, puis laisser tiédir à température ambiante.

Battre le reste de crème liquide, au fouet ou au batteur électrique, afin d'obtenir une crème fouettée ferme (comme une chantilly), puis l'incorporer délicatement à la crème au chocolat blanc. Parsemer généreusement les verrines de riz soufflé, puis les garnir de mousse au chocolat blanc. Remettre les verrines au réfrigérateur.

Pour la mousse au chocolat noir, chauffer le lait dans une casserole à feu moyen. Fouetter énergiquement les jaunes d'œufs et le sucre dans un saladier, puis verser dessus le lait bouillant. Bien mélanger et remettre à feu doux comme pour une crème anglaise. Le mélange va épaissir légèrement et napper la spatule, mais il ne doit surtout pas bouillir. Verser sur le chocolat noir cassé en morceaux et bien mélanger le tout. Laisser refroidir à température ambiante quelques minutes.

Battre la crème liquide, au fouet ou au batteur électrique, afin d'obtenir une crème fouettée ferme, puis l'incorporer délicatement à la crème au chocolat noir.

Garnir les verrines afin de créer le dernier étage, puis les remettre au réfrigérateur 1 heure au moins.

Décorer les verrines, selon votre envie, de glaçage, de riz soufflé, de sauce ou de copeaux de chocolat juste avant de les servir.

POUR 8 À 12 VERRINES | PRÉPARATION : 20 MINUTES | CUISSON : 1 H 15 À 1 H 30 | RÉFRIGÉRATION : 2 HEURES

Pots de crème choco-lait et thym citron

40 cl de crème liquide
12 cl de lait
4 branches de thym citron
3 jaunes d'œufs
60 g de sucre en poudre
125 g de chocolat au lait

Chauffer le lait et la crème liquide à feu moyen. Dès les premiers frémissements, retirer du feu et ajouter 3 branches de thym citron, laisser infuser hors du feu 2 à 3 minutes.

À l'aide d'une passoire, filtrer ce mélange dans un saladier sur le chocolat au lait cassé en morceaux. Bien mélanger le tout.

Dans un autre saladier, battre énergiquement les jaunes d'œufs et le sucre. Verser dessus la crème au chocolat au lait et bien mélanger.

Répartir la crème obtenue dans les verrines et cuire au bain-marie à four doux à 90 °C, dans un plat à gratin rempli d'eau à mi-hauteur, pendant 1 heure à 1 h 30, selon la taille des verrines. Attention, la température ne doit pas dépasser 100 °C !

Sitôt les crèmes cuites, les placer au réfrigérateur pendant 2 heures au moins.

Au moment de servir, utiliser la branche de thym restante pour décorer les petits pots de crème.

POUR 6 À 8 VERRINES | PRÉPARATION : 40 À 50 MINUTES | RÉFRIGÉRATION : 1 HEURE

La cage aux Mikado

MOUSSE À LA BANANE
3 bananes
4 feuilles de gélatine
2 x 50 g de sucre en poudre
le jus de 2 citrons
5 cl de rhum brun
20 cl de crème liquide
3 blancs d'œufs
1 c. à c. d'extrait de vanille
ou 1/2 gousse de vanille

80 Mikado environ
500 g de crème au chocolat (voir recette p. 6)
12 oursons en guimauve
40 g de pâte d'amande (facultatif)
du colorant jaune et marron (facultatif)

Pour la mousse à la banane, ramollir la gélatine dans de l'eau froide.

Éplucher les bananes et les mixer avec le jus de citron et 50 g de sucre afin d'obtenir une fine purée. Chauffer légèrement le rhum et y faire fondre la gélatine, puis mélanger à la purée de banane.

Battre la crème liquide, au fouet ou au batteur électrique, afin d'obtenir une crème fouettée ferme (comme une chantilly), y ajouter la vanille, puis l'incorporer délicatement à la purée de banane à l'aide d'une spatule.

Monter les blancs en neige, au fouet ou au batteur électrique, ajouter le sucre restant et battre à nouveau 1 à 2 minutes. Les incorporer délicatement à la mousse à la banane.

Transvaser la mousse à la banane dans un récipient adapté et la réserver au réfrigérateur 1 heure au moins.

Répartir une couche de crème au chocolat dans le fond des verrines et les réserver au réfrigérateur. (Vous pouvez réaliser cette étape avant de préparer la mousse à la banane et ainsi gagner du temps pour le montage.)

Une fois la crème bien figée, planter les Mikado dans les verrines, près de la paroi, en les espaçant de 1 cm environ.

Garnir une poche à pâtisserie de mousse à la banane et remplir les verrines aux deux tiers.

Vous n'avez plus qu'à mettre les petits oursons dans leur cage, réaliser des petites bananes en pâte d'amande, si vous le souhaitez, et ainsi épater vos invités.

POUR 15 À 18 SUCETTES | PRÉPARATION + CUISSON : 15 MINUTES LA VEILLE + 35 MINUTES | RÉFRIGÉRATION + CONGÉLATION : 3 H

Sucettes fondantes au chocolat

GANACHE AU CHOCOLAT
250 g de chocolat noir
15 cl de crème liquide
50 g de beurre
3 gouttes d'extrait de café
ou autre (facultatif)

PÂTE À FRIRE
175 g de farine
175 g de fécule de pomme de terre
1 œuf entier
1 blanc d'œuf
un peu d'eau froide

1 petit bain de friture

MATÉRIEL
bacs à glaçons ou moules en silicone
15 à 18 bâtons à sucette en bois

Préparer la ganache la veille. Dans une casserole, porter la crème liquide à ébullition à feu doux. La verser dans un saladier sur le chocolat cassé en petits morceaux, ajouter le beurre coupé en dés, et bien mélanger pour lisser la ganache. Incorporer l'extrait de café ou autre si vous souhaitez personnaliser la recette.

À l'aide d'une cuillère, répartir la ganache dans des bacs à glaçons ou des moules en silicone et placer au congélateur.

Surveiller la prise des glaçons et dès qu'ils sont bien figés, planter au centre de chacun d'eux les bâtons en bois, puis remettre au congélateur.

Pour la pâte, réunir dans un saladier la farine, la fécule, l'œuf et le blanc, puis bien les mélanger au fouet afin d'obtenir une pâte homogène un peu épaisse. Ajouter un peu d'eau froide pour la détendre (la pâte doit être coulante mais pas trop, juste ce qu'il faut pour recouvrir finement le glaçon au chocolat). Réserver au froid.

Chauffer le bain de friture à feu moyen.

Démouler les sucettes, les remodeler légèrement avec les mains, si besoin, et les remettre au congélateur.

Travailler au fouet la pâte à frire et dès que l'huile est bien chaude, tremper les sucettes, une par une, dans la pâte, puis les plonger chacune 1 à 2 minutes dans le bain de friture, juste pour colorer la pâte et faire fondre la ganache.

Servir sans attendre.

POUR 8 À 12 VERRINES | PRÉPARATION : 35 MINUTES | CUISSON : 10 MINUTES | RÉFRIGÉRATION : 1 H 30

Pailleté au riz soufflé et aux deux chocolats

Pailleté
250 g de riz soufflé au chocolat
+ 125 g pour la déco
400 g de chocolat noir, blanc ou au lait
2 c. à s. d'huile neutre

Mousse choco noir et blanc
50 cl de lait
6 jaunes d'œufs
20 g de sucre en poudre
30 cl de crème liquide
200 g de chocolat noir à 55 % minimum
250 g de chocolat blanc

Pour les mousses, chauffer le lait dans une casserole à feu moyen. Fouetter énergiquement les jaunes d'œufs et le sucre dans un saladier, puis verser le lait bouillant. Bien mélanger et remettre à feu doux comme pour une crème anglaise. Le mélange va épaissir légèrement et napper la spatule, mais il ne doit surtout pas bouillir.

Verser la crème obtenue en la divisant dans deux saladier distincts : l'un contenant le chocolat noir, et l'autre le chocolat blanc cassé en morceaux. Bien mélanger les deux crèmes au chocolat. Laisser refroidir à température ambiante quelques minutes.

Fouetter la crème liquide en chantilly, au fouet ou au batteur électrique, puis la diviser en deux et l'incorporer délicatement aux deux crèmes au chocolat. Placer les deux mousses au réfrigérateur 1 heure au moins.

Pour le pailleté, faire fondre à feu doux le chocolat au bain-marie ou au micro-ondes, dans l'huile. Incorporer le riz soufflé au chocolat fondu. Étendre un papier sulfurisé sur le plan de travail, verser dessus le mélange chocolaté et étaler légèrement à la spatule. Recouvrir d'une autre feuille de papier sulfurisé, puis, à l'aide d'un rouleau à pâtisserie, étaler le pailleté sans trop insister, de manière à obtenir une fine couche de chocolat craquant. Mettre sur une plaque au réfrigérateur.

Travailler légèrement à la spatule les deux mousses au chocolat bien froides pour les assouplir et garnir deux poches à pâtisserie.

Casser le pailleté au chocolat de manière à obtenir de longs copeaux irréguliers mais de largeur adaptée au diamètre des verrines.

Dresser les verrines, une par une : d'une main, placer et maintenir le pailleté au milieu de la verrine et, de l'autre, pocher de chaque côté les mousses au chocolat. Tapoter ensuite légèrement le fond du verre sur un torchon pour que le contenu épouse bien la forme du verre.

Remettre les verrines au froid 30 minutes au moins et les parsemer de riz soufflé avant de les servir.

POUR 6 À 8 VERRINES | PRÉPARATION : 30 MINUTES | CUISSON : 15 À 20 MINUTES | RÉFRIGÉRATION : 1 HEURE

Mousse chocolat au lait, caramel à l'huile d'olive

Mousse
250 g de chocolat au lait
10 cl de lait
4 œufs, blancs et jaunes séparés
120 g de sucre en poudre

Caramel
200 g de sucre en poudre
5 cl d'huile d'olive
1/2 gousse de vanille
15 cl d'eau

30 biscuits à la cuillère

Pour la mousse, dans une casserole, porter le lait à ébullition à feu doux. Battre les jaunes d'œufs et la moitié du sucre dans un saladier, puis verser le lait bouillant et bien mélanger. Remettre à feu doux et comme pour une crème anglaise, laisser légèrement épaissir et napper la spatule (ne pas faire bouillir !)

Verser la crème chaude sur le chocolat cassé en morceaux et bien mélanger. Laisser refroidir à température ambiante 30 minutes environ.

À l'aide d'un fouet ou d'un batteur électrique, monter les blancs en neige ferme et incorporer le reste du sucre à la fin, tout en continuant de battre 2 à 3 minutes pour les « meringuer ». À l'aide d'un fouet, incorporer un tiers des blancs en neige à la crème au chocolat, puis incorporer les deux tiers restants délicatement à la spatule.

Mixer les biscuits à la cuillère afin de les réduire en poudre, puis tapisser le fond des verrines sur 1 cm d'épaisseur. À l'aide d'une poche à pâtisserie ou d'une cuillère, les garnir d'une couche de mousse au chocolat. Recommencer ainsi de suite jusqu'à 1 cm du bord.

Mettre les verrines au réfrigérateur 1 heure au moins.

Pour le caramel, chauffer le sucre et 5 cl d'eau dans une casserole, à feu moyen. Lorsque le caramel atteint une jolie coloration, retirer du feu, poser le fond de la casserole dans l'évier et verser à bout de bras les 10 cl d'eau restants (attention aux éclaboussures, ça saute !).

Remettre la casserole sur le feu quelques secondes tout en remuant pour diluer le caramel.

À l'aide d'un petit couteau, gratter la gousse de vanille dans le caramel puis ajouter l'huile d'olive.

Juste avant de servir les verrines, émulsionner le caramel à l'huile d'olive au fouet ou à l'aide d'un petit mixeur plongeant.

Le caramel liquide se conserve très bien au frais ou à température ambiante.

POUR 4 À 6 VERRINES | PRÉPARATION : 20 MINUTES | RÉFRIGÉRATION : 1 HEURE

Pépito café

48 Pépito
50 cl de café froid
400 g de mascarpone
6 jaunes d'œufs
100 g de sucre en poudre
5 cl d'extrait de café

verrines du diamètre des Pépito

Pour la crème au café, battre les jaunes d'œufs et le sucre dans un saladier afin d'obtenir un mélange homogène et mousseux. Ajouter progressivement le mascarpone, l'extrait de café et mélanger énergiquement.

Dans une assiette creuse ou un bol, tremper légèrement les Pépito, un par un, dans le café et garnir le fond de chaque verrine avec 2 biscuits.

Garnir une poche à pâtisserie de crème au café et recouvrir la première couche de biscuits.

Continuer en alternant biscuits et crème. Terminer par un Pépito.

Recouvrir les verrines d'un film alimentaire et les placer au réfrigérateur 1 heure au moins.

POUR 8 À 12 VERRINES | PRÉPARATION : 15 MINUTES LA VEILLE + 20 MINUTES | CUISSON : 1 H 20 LA VEILLE + 8 MINUTES | RÉFRIGÉRATION : 1 HEURE LA VEILLE + 1 HEURE

La cerise sur la verrine

Crème cuite aux cerises
50 cl de crème liquide
10 cl de lait entier
6 jaunes d'œufs
75 g de sucre en poudre
200 g de cerises surgelées

Ganache chocolat-cherry
10 cl de crème liquide
20 cl de lait
5 cl de liqueur de cerise
150 g de chocolat noir à 55 %
125 g de chocolat au lait

Chantilly aux cerises
50 cl de crème liquide
2 à 3 c. à s. de confitures de cerise
12 cerises à l'eau-de-vie et au chocolat

Préparer la crème aux cerises la veille. Chauffer le lait à feu moyen. Dans un saladier, battre énergiquement les jaunes d'œufs et le sucre, puis incorporer la crème liquide froide. Enfin, ajouter le lait bouillant et bien mélanger. Réserver au réfrigérateur 1 heure au moins.

Garnir les verrines de 2 ou 3 cm de ce mélange crémeux et de quelques cerises et cuire au bain-marie à 90 °C dans un plat à gratin ou un moule à manqué pendant 1 h 15 environ. Attention, la température ne doit pas dépasser 100 °C ! Une fois cuites, mettre les crèmes au réfrigérateur.

Pour la ganache, chauffer à feu moyen le lait et la crème liquide jusqu'à ébullition. Verser dans un saladier sur les deux chocolats cassés en petits morceaux. Bien mélanger pour diluer le chocolat, incorporer la liqueur puis remplir le deuxième tiers des verrines avec 1 cm de ganache environ. Remettre les verrines 1 heure au réfrigérateur.

Pour la chantilly, battre la crème liquide bien froide en chantilly assez ferme, puis incorporer délicatement la confiture à la spatule. À l'aide d'une poche à pâtisserie, garnir les verrines de chantilly. Décorer avec les cerises à l'eau-de-vie et au chocolat.

POUR 8 À 12 VERRINES | PRÉPARATION : 20 MINUTES | RÉFRIGÉRATION : 30 MINUTES

La folie noire

CHANTILLY
50 cl de crème liquide bien froide
1/2 gousse de vanille ou quelques gouttes d'extrait de vanille
100 g de sucre glace

20 cl de sirop ou de crème de cerise
5 cl d'eau
500 g de cerises dénoyautées
800 g de brownie ou de gâteau au chocolat
250 g de copeaux de chocolat

Pour la chantilly, verser la crème liquide dans la cuve du batteur ou dans un saladier très froid. Si elle n'est pas assez froide, placer le récipient dans un autre plus grand, rempli de glaçons. La battre jusqu'à l'obtention d'une crème fouettée assez ferme, puis incorporer le sucre glace et la vanille. Réserver la crème chantilly au frais. Attention, elle ne se conservera que quelques heures au froid.

Détailler le gâteau au chocolat ou le brownie en dés, en répartir une première épaisseur dans le fond des verrines en pressant légèrement du bout des doigts. Diluer la crème de cerise dans l'eau et arroser légèrement le fond chocolaté, puis y déposer quelques cerises. Garnir ensuite de chantilly, puis recommencer avec une autre couche de gâteau, et ainsi de suite jusqu'en haut des verrines. Les mettre au réfrigérateur 30 minutes environ avant de les décorer de copeaux de chocolat et de les déguster.

POUR 6 À 8 VERRINES | PRÉPARATION : 30 MINUTES | CUISSON : 10 MINUTES | RÉFRIGÉRATION : 1 HEURE

Chocolat blanc, fraises et wasabi

Mousse au chocolat blanc
300 g de chocolat blanc
50 cl de crème liquide
2 feuilles de gélatine

Ganache au chocolat blanc et au wasabi
140 g de chocolat blanc
15 cl de crème liquide
15 g de wasabi en poudre

Purée de fraises
400 g de fraises
40 g de sucre glace
le jus de 1/2 citron
2 c. à s. d'eau

Pour la mousse au chocolat blanc, ramollir la gélatine dans de l'eau froide. Dans une casserole, à feu doux, porter 20 cl de crème liquide à ébullition, y faire fondre la gélatine, puis verser dans un saladier sur le chocolat blanc cassé en petits morceaux. Bien mélanger et laisser tiédir 8 à 10 minutes à température ambiante.

Fouetter le reste de crème liquide en chantilly, puis l'incorporer délicatement à la crème au chocolat blanc.

Garnir les verrines au tiers de leur volume de mousse au chocolat blanc, puis les mettre au réfrigérateur 40 minutes au moins.

Pour la ganache, mélanger la crème liquide et le wasabi dans une casserole, à feu moyen, et porter à ébullition. Verser dans un petit saladier sur le chocolat blanc cassé en petits morceaux et bien mélanger pour lisser la ganache. Garnir les verrines d'une fine couche de ganache et les remettre au réfrigérateur 20 minutes au moins.

Laver, puis équeuter les fraises. Les couper en petits morceaux et les écraser légèrement à l'aide d'une fourchette dans un petit saladier avec le sucre glace, le jus de citron et l'eau afin d'obtenir une marmelade un peu liquide.

Juste avant de servir les verrines, les napper généreusement de purée de fraises.

POUR 8 À 12 VERRINES | PRÉPARATION : 30 MINUTES | CUISSON : 6 MINUTES | RÉFRIGÉRATION : 1 H 15

Chocolat au lait et framboises

MOUSSE AU CHOCOLAT AU LAIT ET AUX FRAMBOISES
350 g de chocolat au lait
40 cl de crème liquide
15 cl de lait
100 g de framboises

36 biscuits roses de Reims
10 cl de sirop ou de crème de framboise
10 cl d'eau
framboises fraîches, copeaux de chocolat et/ou un peu de coulis de framboise pour décorer

Pour la mousse, porter à ébullition le lait et 10 cl de crème liquide dans une casserole, à feu moyen. Verser ce mélange bouillant dans un petit saladier sur le chocolat au lait cassé en petits morceaux. Bien mélanger, puis incorporer les framboises, en fouettant, pour bien lisser le mélange. Laisser tiédir à température ambiante 15 minutes environ.

Battre les 30 cl de crème liquide bien froide en chantilly, puis l'incorporer délicatement à la spatule au mélange chocolaté.

Dans un bol, mélanger le sirop de framboise et l'eau. Tremper les biscuits, un à un, dans ce sirop, puis chemiser le fond des verrines. À l'aide d'une poche ou d'une cuillère, les garnir de mousse chocolat-framboise.

Recommencer l'opération en fonction de la taille des verrines et de l'effet désiré. Mettre au froid 30 minutes au moins à chaque fois.

Décorer de framboises fraîches, de copeaux de chocolat et/ou de coulis de framboise afin de personnaliser vos verrines.

POUR 4 À 6 VERRINES | PRÉPARATION : 20 MINUTES | CUISSON : 7 MINUTES | RÉFRIGÉRATION : 40 MINUTES POUR LA PREMIÈRE COUCHE + 30 MINUTES POUR LES AUTRES

Amarena intense, coco et chocolat blanc

Crème coco et chocolat blanc
40 cl de lait de coco
150 g de chocolat blanc
2 feuilles de gélatine
100 g de noix de coco râpée

150 g de cerises amarena
50 g de noix de coco râpée

Pour la crème, ramollir la gélatine dans de l'eau froide. Chauffer le lait de coco jusqu'à ébullition, puis y faire fondre la gélatine. Verser dans un saladier sur le chocolat blanc cassé en petits morceaux et la noix de coco râpée. Bien mélanger et réserver à température ambiante.

Verser 1 à 2 cm de crème dans les verrines, puis laisser prendre au réfrigérateur 40 minutes environ.

Disposer sur la première couche quelques cerises amarena et un peu de leur sirop, puis les recouvrir de crème. Remettre au froid et continuer ainsi de suite jusqu'en haut des verrines.

Au dernier moment, décorer les verrines de noix de coco légèrement dorée au four.

POUR 6 À 8 VERRINES | PRÉPARATION : 30 MINUTES | CUISSON : 20 MINUTES | RÉFRIGÉRATION : 2 HEURES

Le rouge et le noir

Le rouge
250 g de fraises
100 g de groseilles
150 g de framboises
20 cl de coulis de framboise
3 feuilles de gélatine

Le noir
300 g de chocolat noir à 55 %
30 cl de lait
30 cl de crème liquide
80 g de sucre en poudre
7 jaunes d'œufs

25 cl de glaçage au cacao (voir recette p. 34)

Pour le rouge, laver, puis équeuter les fraises. Les couper en petits dés et les mélanger aux groseilles égrappées et aux framboises.

Ramollir la gélatine dans de l'eau froide. Dans une petite casserole, chauffer à feu doux le coulis de framboises puis y dissoudre la gélatine hors du feu. Verser le coulis sur les fruits rouges et mélanger délicatement.

Garnir les verrines à la moitié de leur volume à l'aide d'une cuillère, puis les mettre au réfrigérateur 30 à 40 minutes.

(Pour créer la séparation en diagonale et en hauteur comme sur la photo, incliner et stabiliser les verrines sur un plat à rebord rempli de farine avant de les mettre au froid.)

Pour le noir, tiédir doucement le glaçage et en faire couler une petite quantité sur les fruits rouges gélifiés, puis remettre les verrines au réfrigérateur.

Chauffer le lait et la crème liquide dans une casserole, à feu moyen.

Fouetter les jaunes d'œufs et le sucre dans un saladier, puis verser le lait et la crème bouillants. Bien mélanger et remettre à feu doux comme pour une crème anglaise. La crème va épaissir légèrement et napper la spatule, mais elle ne doit pas bouillir.

Verser la crème chaude sur le chocolat cassé en morceaux et bien mélanger l'ensemble.

Remplir les verrines et les remettre au froid 1 h 30 au moins.

Vous pouvez décorer les verrines avec un peu de pâte à crumble colorée en rouge comme sur la photo.

POUR 8 À 12 VERRINES | PRÉPARATION : 40 MINUTES | CUISSON : 30 MINUTES | RÉFRIGÉRATION : 30 MINUTES

Confit d'abricots secs, gingembre et cacao

500 g d'abricots secs
30 g de gingembre confit
125 g de sucre en poudre
50 cl d'eau
250 g de spéculos

Glaçage au cacao
10 cl de crème liquide
15 cl d'eau
180 g de sucre en poudre
60 g de cacao en poudre
4 feuilles de gélatine

Pour le glaçage, chauffer l'eau et le sucre dans une casserole moyenne jusqu'à ébullition. Ramollir la gélatine dans de l'eau froide. Verser le cacao dans le sirop bouillant sur feu doux sans cesser de remuer pendant 5 minutes. Dans une autre casserole, chauffer la crème liquide jusqu'à ébullition, puis la verser dans le sirop au cacao. Bien mélanger sur feu doux encore 5 minutes, puis réserver hors du feu. Laisser refroidir la glaçage 15 à 20 minutes, puis dissoudre la gélatine. Le transvaser dans un récipient adapté et le laisser refroidir.

Pour le confit d'abricots secs, chauffer l'eau et le sucre jusqu'à ébullition, puis y plonger les abricots secs pendant 5 à 7 minutes. Retirer les abricots du sirop, puis les mixer avec 3 cuillerées à soupe de sirop environ et le gingembre confit afin d'obtenir une pâte de fruits épaisse mais tout de même assez onctueuse.

Mixer les spéculos en poudre fine.

À l'aide d'une cuillère ou d'une poche à pâtisserie, garnir les verrines de confit d'abricots au tiers de leur volume, puis recouvrir de poudre de spéculos. Faire tiédir légèrement le glaçage, puis en verser une couche aux deux tiers des verrines. Les placer au réfrigérateur 30 minutes au moins afin de laisser prendre le glaçage.

Au moment de servir, décorer les verrines avec le reste de poudre de spéculos et de confit d'abricots.

POUR 6 À 8 VERRINES | PRÉPARATION : 30 MINUTES | CUISSON : 15 MINUTES | RÉFRIGÉRATION : 1 H 30

Bananes chocolat et pralin cacahuètes

4 bananes
100 g de sucre en poudre
125 g de cacahuètes pralinées
15 cl de crème liquide
1 c. à s. de crème épaisse
20 cl de lait
50 g de chocolat au lait
150 g de chocolat noir à 58 %
3 jaunes d'œufs

Éplucher les bananes et les couper en rondelles épaisses. Répartir 50 g de sucre dans une poêle, chauffer à feu moyen et, dès qu'il commence à caraméliser, disposer la moitié des bananes, une par une, puis les colorer 30 secondes sur chaque face. Réserver les bananes bien à plat sur une assiette. Recommencer avec le sucre et les bananes restants.

Pour la crème aux deux chocolats, chauffer le lait et les deux crèmes dans une casserole à feu moyen jusqu'à ébullition. Verser sur les deux chocolats cassés en petits morceaux. Bien mélanger afin de lisser la crème, puis incorporer les jaunes d'œufs.

Tapisser soigneusement le fond des verrines de rondelles de bananes caramélisées.

Verser la crème aux deux chocolats aux deux tiers des verrines.

Réserver les verrines au réfrigérateur 1 h 30 au minimum afin de laisser prendre la crème.

À l'aide d'un rouleau à pâtisserie, concasser grossièrement les cacahuètes pralinées, puis parsemer sur les verrines juste avant de les déguster.

POUR 6 À 8 VERRINES | PRÉPARATION : 30 MINUTES | CUISSON : 5 MINUTES | RÉFRIGÉRATION : 1 HEURE

Chocolat blanc et agrumes

800 g de mousse au chocolat blanc (voir recette p. 26)
7 belles oranges
5 citrons verts
6 pamplemousses
24 biscuits à la cuillère
3 feuilles de gélatine

À l'aide d'un petit couteau, peler les agrumes à vif, puis prélever des segments entre les membranes blanches en prenant soin de récupérer le jus dans 3 récipients distincts.

Couper les segments d'agrumes en petits morceaux et les ajouter à leur jus, sauf pour les pamplemousses.

Émietter les biscuits à la cuillère et disposer une première couche dans le fond des verrines, puis recouvrir de jus et de pulpe d'orange avec une cuillère.

Recouvrir de mousse au chocolat sur 2 cm environ et mettre au réfrigérateur juste le temps que la mousse prenne. Ramollir la gélatine dans de l'eau froide.

Pendant ce temps, chauffer légèrement le jus de pamplemousse, y faire fondre la gélatine, puis ajouter la pulpe. Réserver.

Recommencer avec les biscuits, le jus et la pulpe de citron vert et une dernière couche de mousse au chocolat.

Napper les verrines de gelée de pamplemousse et les mettre au réfrigérateur 20 minutes au moins.

POUR 8 À 12 VERRINES | PRÉPARATION : 45 MINUTES | CUISSON : 30 MINUTES | RÉFRIGÉRATION : 45 MINUTES

Le puits d'amour

Crème chiboust au cacao
50 cl de lait
20 cl de crème liquide
80 g de sucre en poudre
8 jaunes d'œufs
40 g de Maïzena
4 feuilles de gélatine
30 g de cacao en poudre
125 g de sucre glace
4 blancs d'œufs

Marmelade de poire
15 poires pochées
4 fruits de la passion
70 g de sucre en poudre
3 boules de sorbet à la passion
75 g de cassonade (facultatif)

Pour la marmelade, couper et réserver 8 à 12 « têtes » de poires pochées, puis détailler le reste en gros dés. Chauffer à sec le sucre dans une casserole jusqu'à légère caramélisation, puis ajouter les cubes de poires et cuire à feu moyen 5 à 6 minutes. Ajouter le sorbet, la pulpe et les pépins des fruits de la passion, cuire 6 à 8 minutes, en remuant. Transvaser la marmelade dans un récipient adapté et laisser refroidir.

Pour la crème chiboust, ramollir la gélatine dans de l'eau froide. Dans une casserole, porter à ébullition le lait et la crème liquide, à feu moyen.

Pendant ce temps, fouetter énergiquement dans un saladier les jaunes d'œufs et le sucre, puis incorporer la Maïzena et le cacao. Verser le lait et la crème bouillants, bien mélanger, puis remettre le tout à feu doux, sans cesser de remuer, 5 à 7 minutes. Transvaser la crème dans un saladier pour arrêter la cuisson et y faire fondre la gélatine.

Monter les blancs d'œufs en neige ferme et incorporer le sucre glace à la fin, tout en continuant de les battre quelques minutes pour les « meringuer ». Les incorporer délicatement à la crème encore chaude.

À l'aide d'une cuillère, répartir la marmelade dans les verrines, à peu près au tiers de leur volume. À l'aide d'une poche à pâtisserie, garnir les verrines de crème chiboust, disposer les « têtes » de poires en les faisant dépasser, puis ajouter soigneusement un peu de crème autour. Mettre au réfrigérateur 45 minutes au moins.

Si vous le souhaitez, avant de servir les verrines, les saupoudrer de cassonade et caraméliser délicatement au chalumeau, à petite flamme.

POUR 6 À 8 VERRINES | PRÉPARATION : 30 MINUTES | CUISSON : 15 MINUTES | RÉFRIGÉRATION : 1 H 30

Chocolat et thé vert

Crème au chocolat
500 g de chocolat noir à 50-55 %
40 cl de lait
60 cl de crème liquide
130 g de sucre en poudre
12 jaunes d'œufs

Sirop au thé vert
1 l d'eau minérale
140 g de sucre en poudre
30 g de poudre de thé vert
4 feuilles de gélatine

24 biscuits à la cuillère

Matériel
1 siphon (50 cl) + cartouche de gaz

Pour la crème au chocolat, chauffer le lait et la crème liquide dans une casserole, à feu moyen. Fouetter énergiquement les jaunes d'œufs et le sucre dans un saladier, puis verser le lait et la crème bouillants. Bien mélanger et remettre à feu doux comme pour une crème anglaise. La crème va légèrement épaissir et napper la spatule, mais elle ne doit surtout pas bouillir. Verser la crème chaude sur le chocolat cassé en morceaux et bien mélanger. Réserver à température ambiante.

Pour le sirop au thé vert, chauffer dans une casserole l'eau et le sucre jusqu'à ébullition. Retirer du feu, puis diluer la poudre de thé vert.

Ramollir la gélatine dans de l'eau froide. Prélever un quart du sirop au thé vert et y dissoudre la gélatine. Réserver à température ambiante.

Couper les biscuits à la cuillère en petits morceaux et disposer une première couche dans le fond des verrines. Arroser de sirop au thé vert (non gélifié) et presser du bout des doigts.

Verser une première couche de crème au chocolat, puis placer au réfrigérateur 30 minutes environ.

Recommencer avec une deuxième couche de biscuits et de crème au chocolat. Mettre au réfrigérateur à nouveau 30 minutes.

Une fois les verrines bien figées, verser un petit centimètre de sirop contenant la gélatine et les remettre au réfrigérateur.

Juste avant de les servir, utiliser le sirop de thé vert restant et, à l'aide d'un siphon et d'une cartouche de gaz, émulsionner le sirop et décorer les verrines.

POUR 8 À 12 VERRINES | PRÉPARATION + RÉFRIGÉRATION : 50 MINUTES | CUISSON : 10 MINUTES

Choco mint

Crème chocolat-menthe
150 g de chocolat noir à 70 %
15 cl de crème liquide
15 cl de lait
2 jaunes d'œufs
2 cl de liqueur ou de sirop de menthe

Glaçage blanc à la menthe
125 g de chocolat blanc
5 cl de crème liquide
2 cl de liqueur ou sirop de menthe

Montage et décoration
125 g de fèves ou de dragées chocolat
15 cl de liqueur ou de sirop de menthe
8 à 12 feuilles de menthe
200 g de chocolat noir
1 c. à s. d'huile neutre

Pour la crème chocolat-menthe, chauffer le lait dans une casserole à feu moyen jusqu'à ébullition. Le verser dans un saladier sur le chocolat cassé en petits morceaux. Bien mélanger afin de lisser la préparation, puis incorporer les jaunes d'œufs et la liqueur de menthe. Laisser tiédir quelques minutes.

Pendant ce temps, fouetter la crème liquide jusqu'à ce qu'elle soit ferme, puis l'incorporer à la spatule au mélange chocolat-menthe. Réserver la crème au froid.

Pour le glaçage, chauffer la crème liquide et la liqueur de menthe dans une casserole à feu moyen ou au micro-ondes. Verser dans un saladier sur le chocolat blanc cassé en petits morceaux. Mélanger et réserver à température ambiante.

Faire fondre les 200 g de chocolat noir au bain-marie ou au micro-ondes dans un peu d'huile.

Pendant ce temps, répartir dans le fond des verrines quelques dragées au chocolat, puis les arroser à hauteur de liqueur de menthe.

Garnir un cornet en papier (voir matériel, p. 4) de chocolat noir fondu ou, à l'aide d'une petite cuillère, en filets faire couler pour créer une séparation et emprisonner la liqueur.

Mettre les verrines au froid quelques minutes pour figer le chocolat.

Travailler légèrement, à la spatule, la crème chocolat-menthe afin de l'assouplir puis garnir une poche à pâtisserie.

Garnir les verrines de crème jusqu'à 1/2 cm du bord environ, puis les remettre au froid.

À l'aide d'un petit pinceau, badigeonner les feuilles de menthe, de chaque côté, de chocolat fondu. Les disposer soigneusement sur un plat recouvert de film alimentaire et les faire durcir au réfrigérateur.

Tiédir le glaçage blanc à la menthe et napper les verrines. Les réserver au froid.

Au moment de servir, les décorer avec les feuilles de menthe enrobées de chocolat.

POUR 8 À 10 VERRINES | PRÉPARATION : 20 MINUTES | CUISSON : 10 MINUTES | RÉFRIGÉRATION : 1 H 30

Choco-citron

20 cl de jus de citron
150 g de chocolat blanc
6 jaunes d'œufs
3 œufs entiers
80 g de sucre en poudre
90 g de beurre doux
20 cl de crème liquide

175 g de chocolat noir
quelques gouttes d'huile neutre

Pour la mousse citron-chocolat blanc, chauffer le jus de citron à feu doux dans une casserole. Pendant ce temps, battre les jaunes d'œufs, les œufs entiers et le sucre dans un saladier, puis verser le jus de citron chaud.

Remettre le mélange à feu doux et chauffer jusqu'à épaississement, sans cesser de remuer à la spatule pour éviter que la crème attache au fond de la casserole. Hors du feu, incorporer le beurre et le chocolat blanc en petits morceaux, bien mélanger et mettre la crème dans un bac en plastique couvert, puis réserver au réfrigérateur.

Fouetter la crème liquide jusqu'à ce qu'elle soit ferme. Lorsque la crème au citron est bien froide, l'incorporer délicatement à la crème fouettée avec une spatule.

Faire fondre le chocolat noir au bain-marie ou au micro-ondes, à feu doux, dans quelques gouttes d'huile.

Pendant ce temps, garnir une poche à pâtisserie de mousse choco-citron, puis disposer une première couche dans le fond des verrines.

Garnir un cornet en papier (voir matériel, p. 4) de chocolat noir fondu, ou à l'aide d'une petite cuillère, faire couler de minces filaments sur la première couche et légèrement sur les parois des verrines.

Ajouter une deuxième couche de mousse et de chocolat et ainsi de suite jusqu'en haut des verrines.

Mettre au réfrigérateur et déguster ces verrines bien froides.

POUR 4 À 6 VERRINES | PRÉPARATION : 20 MINUTES | CUISSON : 12 MINUTES

Oranges épicées et chocolat chaud au pain d'épices

Oranges épicées
4 à 6 oranges
1 c. à c. de cannelle
1 c. à c. de gingembre en poudre
1 c. à s. de sucre en poudre
30 cl de jus d'orange
4 à 6 mini-piques à brochettes

Chocolat chaud
30 cl de lait
10 cl de crème liquide
70 g de chocolat noir
70 g de pain d'épices

À l'aide d'un petit couteau, peler les oranges à vif, puis les couper en tranches régulières.

Reconstituer chaque orange en la transperçant avec une pique à brochettes et les réserver au froid.

Dans une casserole, à feu moyen, chauffer le jus d'orange, le sucre et les épices jusqu'à ébullition, puis laisser refroidir.

Mettre tous les ingrédients du chocolat chaud dans une casserole et chauffer très doucement, en remuant au fouet, jusqu'à ce que le chocolat et le pain d'épices soient fondus et le mélange bien chaud.

Disposer chaque orange dans une verrine et l'arroser de jus épicé.

Servir le chocolat chaud à part, dans d'autres verrines, ou napper directement les oranges juste avant de les servir.

POUR 8 A 12 VERRINES | PRÉPARATION : 30 MINUTES | CUISSON : 12 MINUTES | RÉFRIGÉRATION : 40 MINUTES

Croc et choc'orange

Croc'choc
200 g de cigarettes russes
ou de crêpes dentelle
250 g de chocolat noir
50 g d'oranges confites ou d'orangettes
+ 50 g pour la décoration

Crème chocolat-orange
80 g de chocolat noir à 70 %
150 g de chocolat au lait
50 g de beurre
20 cl de crème liquide
8 cl de jus d'orange
2 cl de liqueur d'orange

Pour la crème chocolat-orange, chauffer la crème liquide, le jus d'orange et le beurre coupé en petits morceaux dans une casserole jusqu'aux premiers frémissements. Verser ce mélange dans un saladier sur les deux chocolats cassés en petits morceaux et bien mélanger au fouet afin de lisser la crème. Sans attendre, incorporer la liqueur d'orange. Transvaser la crème dans un récipient adapté et réserver au réfrigérateur.

Pour les croc'choc, faire fondre le chocolat cassé en petits morceaux au bain-marie ou au micro-ondes.

Pendant ce temps, émietter les biscuits, sans trop insister, afin d'obtenir des petites paillettes, puis hacher finement les oranges confites. Réunir ces ingrédients dans un saladier, puis verser le chocolat fondu et mélanger délicatement à l'aide d'une spatule.

Chemiser un plat ou une plaque pouvant aller au réfrigérateur de papier sulfurisé, puis, à l'aide d'une petite cuillère, prélever de petites quantités de biscuit chocolaté et les disposer soigneusement sur la plaque (attention au diamètre des verrines). Laisser prendre les croc'choc au réfrigérateur.

Disposer un croc'choc dans le fond de chaque verrine. Travailler légèrement la crème chocolat-orange à la spatule afin de la rendre plus onctueuse et faciliter le montage. À l'aide d'une poche à pâtisserie ou d'une petite cuillère, garnir les verrines d'une couche de crème. Les réserver au réfrigérateur.

Juste avant de servir les verrines, ajouter les croc'choc restants et décorer avec des orangettes et/ou du chocolat fondu.

fle - ra bien mieux
FRANCIS SALABERT S.A.
Paris 22 rue Chauchat

POUR 6 À 8 VERRINES | PRÉPARATION : 45 MINUTES | CUISSON : 15 MINUTES | RÉFRIGÉRATION : 2 X 30 MINUTES

Meringue chocolat et pommes

GELÉE DE POMME
50 cl de jus de pomme (de bonne qualité)
7 feuilles de gélatine
125 g de sucre

MERINGUE AUX POMMES
4 blancs d'œufs
100 g de sucre
1 kg de pommes

MOUSSE AU CHOCOLAT
150 g de chocolat
4 œufs, blancs et jaunes séparés
1 c. à s. de calvados

15 biscuits à la cuillère

Pour la gelée, ramollir la gélatine dans de l'eau froide. Chauffer le jus de pomme dans une casserole jusqu'à ébullition. Faire fondre la gélatine, bien mélanger hors du feu. Verser 2 cm environ de gelée dans le fond des verrines.
Les mettre au réfrigérateur.

Éplucher, évider, puis couper les pommes en petits dés. Cuire les dés de pommes au micro-ondes, par petites quantités, sur une assiette recouverte de film alimentaire ou dans une casserole contenant un peu d'eau quelques minutes, juste pour les attendrir. Diviser les pommes en deux et réserver au frais.

Pour la mousse au chocolat, faire fondre doucement le chocolat au micro-ondes ou au bain-marie. Ajouter le calvados, puis les jaunes d'œufs, un par un. Monter les blancs en neige et les incorporer délicatement au mélange chocolaté à l'aide d'une spatule.

Émietter les biscuits à la cuillère, parsemer les verrines puis répartir soigneusement la moitié des pommes. À l'aide d'une poche à pâtisserie, les garnir de mousse au chocolat jusqu'à environ 1 à 2 cm du bord. Remettre les verrines au réfrigérateur.

Pour la meringue, monter les blancs en neige, ajouter le sucre et battre à nouveau 1 à 2 minutes. Incorporer délicatement le reste de pommes à la meringue à l'aide d'une spatule. Garnir jusqu'en haut les verrines de meringue et lisser la surface à l'aide d'une spatule en métal.

Caraméliser la surface des verrines avec un chalumeau, à petite flamme.

Juste avant de servir, vous pouvez, si vous le souhaitez, tremper le fond des verrines quelques secondes dans 2 cm d'eau chaude pour liquéfier légèrement la gelée.

POUR 8 À 10 VERRINES | PRÉPARATION : 40 MINUTES | CUISSON : 20 MINUTES | CONGÉLATION : 3 HEURES

Parfait glacé cacao-chicorée, caramel au beurre salé

PARFAIT GLACÉ
8 jaunes d'œufs
150 g de sucre en poudre
7 cl d'eau
50 cl de crème liquide
20 g de chicorée liquide ou soluble
40 g de cacao en poudre

CARAMEL AU BEURRE SALÉ
100 g de sucre en poudre
5 cl d'eau
15 cl de crème liquide
40 g de beurre salé
2 pincées de sel marin

MATÉRIEL
1 thermomètre confiseur (200 °C)
1 siphon (50 cl) + cartouche de gaz
1 batteur électrique

Pour le parfait, porter à ébullition dans une casserole le sucre et l'eau, et laisser cuire jusqu'à 120 °C.

Fouetter les jaunes d'œufs au batteur à vitesse moyenne. Lorsque le sirop est prêt, le verser petit à petit sur les jaunes d'œufs en augmentant un peu la vitesse. Quand le mélange a doublé de volume, diminuer la vitesse, ajouter la chicorée et le cacao, et continuer de battre jusqu'à quasi-refroidissement.

Pendant ce temps, verser la crème liquide bien froide dans un récipient, lui-même placé dans un plus grand contenant de la glace, et la fouetter en chantilly ; elle doit tenir au fouet mais ne pas être trop ferme. Incorporer à l'aide d'une spatule et très délicatement, la préparation au cacao et à la chicorée à la crème chantilly, en soulevant l'ensemble.

Répartir dans les verrines aux deux tiers, et mettre au congélateur pendant 3 heures au moins.

Pour le caramel, chauffer dans une casserole le sucre et l'eau à feu moyen jusqu'à 170 °C.

Pendant ce temps, chauffer la crème liquide au micro-ondes afin qu'elle soit tout juste frémissante.

Lorsque le caramel atteint 170 °C, retirer la casserole du feu, puis ajouter la crème (attention aux projections !), le beurre et le sel, puis remettre sur feu doux en mélangeant bien le tout 2 à 3 minutes. Réserver et laisser refroidir à température ambiante.

Mettre un peu de sauce caramel dans le siphon (un tiers environ), visser la cartouche de gaz et bien le secouer de haut en bas.

Sortir les parfaits du congélateur, ajouter l'émulsion au caramel, puis servir les verrines sans attendre.

POUR 8 À 12 VERRINES | PRÉPARATION : 30 À 35 MINUTES | CUISSON : 15 MINUTES | CONGÉLATION : 3 HEURES

Nougat glacé au cacao

100 g de miel
180 g de sucre en poudre
12,5 cl d'eau
50 g de glucose
5 blancs d'œufs
50 cl de crème liquide
80 g de cacao en poudre
180 g de fruits secs (pistaches, amandes, noisettes…)
150 g de fruits confits
5 cl de liqueur d'orange

MATÉRIEL
1 thermomètre confiseur
1 batteur électrique

Dans un bol, faire macérer les fruits confits dans la liqueur. Réserver.

Dans une poêle, chauffer à feu moyen les fruits secs avec 100 g de sucre jusqu'à caramélisation, en remuant à l'aide d'une spatule en bois. Mixer grossièrement les fruits secs et réserver.

Dans une casserole, chauffer à feu moyen le miel, le glucose et 50 g de sucre, et laisser cuire jusqu'à 120 °C.

Pendant ce temps, fouetter la crème liquide bien froide en chantilly. Incorporer le cacao et réserver au froid.

Monter les blancs en neige au batteur électrique, puis ajouter les 30 g de sucre restants et battre à nouveau pour raffermir les blancs. Sans cesser de battre, mais à vitesse réduite, verser délicatement le sirop au miel en mince filet, et ce, jusqu'à refroidissement de la meringue.

Incorporer délicatement les fruits secs caramélisés et les fruits confits à la meringue, puis, enfin, la crème fouettée au cacao, à l'aide d'une spatule.

Couler le mélange dans les verrines, lisser à l'aide d'une spatule et mettre les nougats au congélateur 3 heures au moins.

POUR 6 À 8 VERRINES | PRÉPARATION : 15 MINUTES | CUISSON : 6 À 7 MINUTES | CONGÉLATION : 2 H 30

Truffes glacées à la lavande

350 g de chocolat au lait
200 g de chocolat noir
50 g de beurre doux
25 cl de lait
5 g de lavande
cacao en poudre

Matériel
1 toile alvéolée siliconée demi-sphérique (pour cette présentation)
des verrines au fond arrondi

Chauffer le lait à feu moyen. Dès les premiers frémissements, retirer du feu et ajouter la lavande, laisser infuser hors du feu 2 à 3 minutes. À l'aide d'une passoire fine, filtrer ce mélange sur les deux chocolats et le beurre détaillés en petits morceaux. Bien mélanger pour lier l'ensemble.

Répartir la moitié de la crème chocolat-lavande, à mi-hauteur dans les verrines, et l'autre moitié dans les alvéoles de la toile siliconée. Mettre le tout au congélateur pendant 2 h 30.

Quelques minutes avant de servir, démouler les alvéoles, puis déposer délicatement les dômes sur les verrines pour donner l'illusion d'une truffe.

Saupoudrer de cacao à l'aide d'une passoire fine.

POUR 6 À 8 VERRINES | PRÉPARATION : 10 MINUTES | CUISSON : 7 MINUTES | CONGÉLATION : 3 HEURES

Granité au cacao et au Baileys

50 cl d'eau
100 g de sucre en poudre
3 c. à s. de cacao en poudre
15 cl de Baileys

Dans une casserole, chauffer l'eau et le sucre jusqu'à ébullition. Retirer du feu et ajouter le cacao. Bien mélanger pour délayer le cacao.

Verser le sirop dans un plat peu profond, laisser refroidir à température ambiante, puis placer le plat au congélateur pendant 3 heures en remuant à la fourchette ou au fouet toutes les 30 minutes, afin de briser les cristaux de glace qui se seront formés.

Placer les verrines au congélateur 30 minutes avant de servir.

Au dernier moment, garnir les verrines de granité au cacao et arroser d'un trait de Baileys.

9 façons d'accommoder une glace au chocolat

Un bac de glace au chocolat pour une déclinaison de 9 verrines en kit…

Sucreries et autres bonbecs, pralines roses pour des desserts régressifs… juste ce qu'il faut.

Fruits secs, orangettes, pignons de pin…

Fruits frais agrémentés d'une pointe de chantilly ou d'un éclat de meringue…

Et toutes les idées d'associations que vous pouvez imaginer pour déguster votre glace au chocolat ! Il ne tient qu'à vous d'improviser.

1. Bounty + amarena
2. Lassi glacé : yaourt à boire fermenté
3. Orange x 3 : oranges confites + orange fraîche + marmelade d'orange
4. After Eight + menthe fraîche
5. Pain d'épices + abricots secs
6. Châtaignes au sirop ou marrons glacés + pignons de pin grillés
7. Cerises + chantilly + coulis
8. Éclats de pralines roses
9. Meringue + fruits rouges de votre choix

shopping

Maisons du monde
1, rue Pierre-Lescot - 75001 Paris
01 53 40 83 01

Le Bon Marché - Rive gauche
24, rue de Sèvres - 75007 Paris
01 44 39 80 00
www.lebonmarche.fr

BHV - Bazar de l'Hôtel de ville
52, rue de Rivoli - 75004 Paris
01 42 74 90 00
www.bhv.fr

Bonton
26, rue Rigoles - 75020 Paris

Habitat
www.habitat.fr

Villeroy & Boch
www.villeroy-boch.com

Muji
www.muji.fr

Ikea
www.ikea.fr

Alinea
www.alinea.fr

Dreyfus
Déballage du marché Saint-Pierre
2, rue Charles-Nodier
75018 Paris
01 46 06 92 25

REMERCIEMENTS
Je remercie Akiko Ida pour ses magnifiques photos et toute l'équipe de Marabout.
Camille encore et toujours…
L'équipe du CAFÉ NOIR et tout particulièrement Carine Guimbal pour son aide précieuse et sa disponibilité à des heures souvent très tardives.
www.cafenoirparis.com

Dépôt légal : septembre 2009
ISBN : 978-2-501-06408-8
40.5160.3/01
Imprimé en Chine par 1010

KAPITEL 1

Vorspeisen

Kartoffelspalten
mit Frischkäse-Koriander-Dip

Gas direkt, mittlere Hitze / **Weber® Q™** direkt, mittlere Hitze / **Grillkohle** direkt
Zubereitungszeit 15 Min. + 4 Std. Kühlzeit / **Grillzeit** 10–15 Min. / **Für** 4 Personen

Für den Dip:
100 g Frischkäse
150 g saure Sahne
1 EL gehacktes Koriandergrün
1 Knoblauchzehe, zerdrückt (nach Belieben)
Salz und frisch gemahlener schwarzer Pfeffer

Für die Kartoffelspalten:
900 g ungeschälte Kartoffeln, abgebürstet und abgetropft
3 EL Olivenöl
½ TL Paprikapulver

1. Für den Dip alle Zutaten verquirlen. Abgedeckt 4 Std. in den Kühlschrank stellen.

2. Die Kartoffeln halbieren und die Hälften in gleich große Spalten schneiden. Olivenöl und Paprikapulver verrühren, salzen und pfeffern und die Kartoffelspalten in dem Paprikaöl wälzen.

3. Die Kartoffelspalten mit einer Grillzange auf den Rost legen und 10–15 Min. bei mittlerer Hitze grillen, bis sie goldbraun, knusprig und durch und durch gar sind; dabei einmal wenden. Die Kartoffeln auf einer großen Servierplatte anrichten und heiß mit dem Frischkäse-Koriander-Dip servieren.

TIPP

Schneiden Sie die Kartoffeln in relativ große Spalten, damit sie nicht durch den Grillrost fallen können.

Apfelscheiben mit Gorgonzola

Gas direkt, mittlere Hitze / **Weber® Q™** direkt, mittlere Hitze / **Grillkohle** direkt
Zubereitungszeit 15 Min. / **Grillzeit** 4 Min. / **Für** 8 Personen

4 säuerliche Äpfel (z. B. Granny Smith), geschält, halbiert und entkernt
250 g Gorgonzola (möglichst aus dem Kühlschrank)

Für die Marinade:
125 ml frisch gepresster Orangensaft
2 EL Pflanzenöl
2 EL Orangenmarmelade

1. Für die Marinade alle Zutaten in einer flachen Schüssel mit dem Schneebesen verrühren.

2. Die Apfelhälften in etwa 1,5 cm breite Spalten schneiden. Die Spalten durch die Marinade ziehen oder sie damit bestreichen und auf einen Teller legen.

3. Die Äpfel sofort bei mittlerer Hitze 4 Min. grillen, bis sie braun sind, dabei nur einmal wenden. Während des Grillens mit der Marinade bestreichen.

4. Den Gorgonzola in ähnlich dicke Scheiben wie die Äpfel schneiden. Zum Servieren die Apfelspalten auf einer großen Servierplatte anrichten und jede mit einer Scheibe Käse belegen. Die Platte herumreichen, während der Käse langsam schmilzt. Dazu passen Walnusskerne.

Applejack

2 cl Calvados
2 cl Grapefruitsaft
1 Spritzer Grenadine

Die Zutaten mit zerstoßenem Eis verrühren oder schütteln. In ein mit zerstoßenem Eis gefülltes Cocktailglas gießen und mit einem Streifen unbehandelter Zitronenschale dekorieren.

Garnelen mit kreolischer Sauce

Gas direkt, starke Hitze / **Weber® Q™** direkt, starke Hitze / **Grillkohle** direkt
Zubereitungszeit 25 Min. + 1 Std. Marinierzeit / **Grillzeit** 6–8 Min. / **Für** 8 Personen

700–900 g geschälte rohe Riesengarnelen, mit Schwanzfächer
2 TL Cayennepfeffer
4 EL Olivenöl

Für die kreolische Sauce:
3 EL Olivenöl
1 Zwiebel, fein gehackt
3 Knoblauchzehen, zerdrückt
1 Dose stückige Tomaten mit Saft (400 g), abgetropft, der Saft aufgefangen
1 mittelscharfe grüne Chilischote (Jalapeño), Samen entfernt, fein gehackt
2 EL mexikanische Gewürzmischung (Tex-Mex-Ecke im Supermarkt)
1 TL Meersalz

Außerdem:
Holzspieße, 30 Min. gewässert

1. Falls nötig, von den Garnelen den dunklen Darm entfernen, die Tiere sorgfältig unter fließendem kaltem Wasser abspülen und mit Küchenpapier trockentupfen.

2. Den Cayennepfeffer und das Öl in einer kleinen Schüssel gründlich verrühren. Die Garnelen in ein flaches Gefäß geben, das gewürzte Öl darübergießen, alles mit den Händen vermischen und dabei das Öl in das Garnelenfleisch einmassieren. Mit Frischhaltefolie abdecken und 1 Std. in den Kühlschrank stellen.

3. Für die Sauce das Öl bei mittlerer Temperatur in einem Topf erhitzen. Zwiebel und Knoblauch darin in 3–4 Min. glasig dünsten. Den Tomatensaft, Chili und die Gewürzmischung hinzufügen, 1 Min. rühren, anschließend die Tomaten dazugeben und bei starker Hitze zum Kochen bringen. 5 Min. einkochen lassen, anschließend salzen.

4. Die Garnelen zu gleichen Teilen auf die Spieße stecken, dabei erst am Kopf-, dann am Schwanzteil aufspießen. 6–8 Min. bei starker Hitze grillen, bis das Fleisch nicht mehr durchsichtig ist; nach der Hälfte der Zeit einmal wenden.

5. Zum Servieren die warme Sauce in eine Schüssel füllen und die Garnelenspieße um die Schüssel herum anrichten.

Gegrillter Camembert
mit Kräutertoast-Streifen

Gas direkt, mittlere Hitze / **Weber® Q™** direkt, mittlere Hitze / **Grillkohle** direkt
Zubereitungszeit 15 Min. / **Grillzeit** 10 Min. / **Für** 4 Personen

1 ganzer Camembert (250 g) in einer Holzschachtel
1 EL Wodka

Für die Toaststreifen:
8 EL Olivenöl mit Basilikumaroma
Meersalz und frisch gemahlener schwarzer Pfeffer
2 EL gehackte frische Minze oder Petersilie
6 Scheiben Weißbrot, die Rinde entfernt und in 24 Streifen geschnitten

1. Den Camembert aus dem Papier wickeln, alles Verpackungsmaterial sorgfältig entfernen und den Käse zurück in den unteren Teil der Holzschachtel legen. Die Schachtel in eine Grillschale setzen (ideal ist die kleine Weber Tropfschale). Die Käserinde mehrfach mit einem Spieß einstechen und langsam den Wodka darüberträufeln.

2. Bei mittlerer Hitze 6–8 Min. grillen, bis der Käse unter der Rinde eben flüssig ist (die genaue Zeit ist abhängig von seiner Reife). Die Schale mit Grillhandschuhen vom Rost nehmen, 1 Min. ruhen lassen, dann den Käse vorsichtig auf einen Teller stürzen und die Schachtel entfernen.

3. Das Basilikumöl mit Salz, Pfeffer und den gehackten Kräutern vermischen und die Brotstreifen auf beiden Seiten damit bestreichen. Auf dem Grill bei mittlerer Hitze goldgelb rösten – das dauert pro Seite nicht länger als etwa 1 Min.

4. Die Rinde des Camemberts vorsichtig abheben und den herrlich flüssigen Käse zusammen mit den Kräutertoast-Streifen servieren.

Knoblauch-Kräuter-Brot
mit Hummus-Dip

Gas direkt, mittlere Hitze / **Weber® Q™** direkt, mittlere Hitze / **Grillkohle** direkt
Zubereitungszeit 15 Min. + 2 Std. Kühlzeit / **Grillzeit** 2–4 Min. / **Für** 4 Personen

Für den Hummus-Dip:

1 Dose Kichererbsen (ca. 250 g Abtropfgewicht), abgespült und abgetropft
Saft von 1½ Zitronen, plus etwas mehr
1–2 Knoblauchzehen, zerdrückt
2–3 EL Tahin (griechische Sesampaste)
5 EL Olivenöl, plus etwas mehr zum Beträufeln
1 EL Sesamöl
Salz und frisch gemahlener schwarzer Pfeffer

Für das Brot:

6 EL Olivenöl mit Knoblaucharoma
2 frische Rosmarinzweige, die Blätter abgezupft und gehackt
1 Ciabatta-Brot, in Scheiben geschnitten

1. Die Kichererbsen mit 2–4 EL kaltem Wasser in die Küchenmaschine oder die Rührschüssel eines Mixers geben. Den Zitronensaft und den Knoblauch hinzufügen und alles zu einem dicken Püree verarbeiten. Das Tahin hineingeben, noch einmal durchmixen und bei laufender Maschine nach und nach das Oliven- und Sesamöl hineingießen. Mit Salz, Pfeffer und gegebenenfalls weiterem Zitronensaft abschmecken. Den Hummus in eine Schüssel umfüllen, mit ein wenig extra Olivenöl beträufeln und abgedeckt für 2 Std. in den Kühlschrank stellen.

2. Für das Brot das Knoblauchöl mit dem Rosmarin vermischen, mit Salz und Pfeffer würzen. Die Brotscheiben auf beiden Seiten leicht damit bestreichen und jede Seite bei mittlerer Hitze auf dem Grill in 1–2 Min. goldbraun rösten. Das heiße, knusprige Brot zusammen mit dem Hummus servieren.

Gegrillte Jakobsmuscheln
auf sommerlichem Blattsalat

Gas direkt, starke Hitze / **Weber® Q™** direkt, starke Hitze / **Grillkohle** direkt
Zubereitungszeit 10 Min. / **Grillzeit** 4–5 Min. / **Für** 4 Personen

12 küchenfertige frische große Jakobsmuscheln
3 EL Butter, zerlassen und abgekühlt
2 EL Olivenöl, plus etwas mehr für den Salat (nach Belieben)
Saft von 1 Limette
Salz und frisch gemahlener schwarzer Pfeffer
50 g gemischer Blattsalat

1. Das Muschelfleisch in eine große Schüssel geben und die zerlassene, abgekühlte Butter, das Olivenöl, den Limettensaft, Salz und Pfeffer hinzufügen. Behutsam vermischen.

2. Die Muscheln herausnehmen (die Buttermischung wird nicht mehr gebraucht) und sorgfältig auf dem Grillrost platzieren, so dass keine hindurchfallen kann. Bei starker Hitze 4–5 Min. grillen, dabei einmal wenden. Sie sollen eben weich und gar sein.

3. Den Salat auf vier Teller verteilen, nach Belieben mit Olivenöl beträufeln und die Muscheln darauf anrichten.

TIPP

Lassen Sie die Jakobsmuscheln beim Grillen nicht aus den Augen, sie zerkochen leicht.

Glasierte Rindfleischstreifen

Gas direkt, starke Hitze / **Weber® Q™** direkt, starke Hitze / **Grillkohle** direkt
Zubereitungszeit 20 Min. + 24 Std. Marinierzeit / **Grillzeit** 4 Min. / **Ergibt** 8 Stück

700 g Rindfleisch (z. B. Hüftsteak), gesäubert, das Fett entfernt
2 Frühlingszwiebeln, weiße und geputzte grüne Teile fein gehackt, zum Servieren

Für die Marinade:
1 kleine rote Chilischote, Samen entfernt, fein gehackt
225 ml Hoisin-Sauce (Asia-Laden)
50 ml Reisessig (Asia-Laden)

Für die Glasur:
3 EL Butter
3 EL Hoisin-Sauce

Außerdem:
8 Metallspieße, je 20 cm lang

1. Für die Marinade die Zutaten in einer Schüssel gründlich verrühren.

2. Das Rindfleisch in 6 mm dicke Scheiben, die Scheiben quer zur Faser in lange, etwa 2 cm breite Streifen schneiden. In ein flaches Gefäß legen, die Marinade darübergießen und das Fleisch darin wenden, bis es von allen Seiten bedeckt ist. Mit Frischhaltefolie abdecken und 24 Std. im Kühlschrank marinieren.

3. Das Fleisch aus der Marinade nehmen (sie wird nicht mehr benötigt) und die Streifen ziehharmonikaförmig auf die Metallspieße stecken.

4. Für die Glasur die Butter in einem Topf zerlassen und die Hoisin-Sauce dazugeben. Umrühren, bis sich beide Zutaten gut verbunden haben.

5. Die Fleischspieße bei starker Hitze etwa 4 Min. durchgrillen. Die Oberseite während des Grillens mit der Glasur bestreichen und nach der Hälfte der Zeit einmal wenden.

6. Die Spieße auf einer Servierplatte anrichten und die gehackten Frühlingszwiebeln darüberstreuen.

Kleine asiatische Spareribs

Gas indirekt, mittlere + direkt, niedrige Hitze / **Weber® Q™** direkt, mittlere + niedrige Hitze / **Grillkohle** direkt / **Zubereitungszeit** 5 Min. + 15 Min. Marinierzeit / **Grillzeit** 2 Std. / **Für** 8 Personen

3 Knoblauchzehen, zerdrückt
2 EL Aceto balsamico
2 EL chinesisches Fünf-Gewürze-Pulver
¼ TL Salz
2,5 kg kleine Schweinerippchen aus dem Kotelettstrang (4 Stück)

Für die Marinade:
225 ml Ketjap manis (süße Sojasauce)
50 ml frisch gepresster Orangensaft
1 TL Sambal oelek, ersatzweise Chilisauce
4 Limettenblätter

1. Knoblauch, Essig, Gewürzmischung und Salz gründlich verrühren und die Spareribs damit einreiben. Nebeneinander auf eine Lage Backpapier legen.

2. Wenn Sie mit Gas grillen, die Spareribs mit der Fleischseite nach oben 1½ Std. indirekt bei mittlerer Hitze garen.

3. Wenn Sie den Weber® Q™ verwenden oder über Holzkohle grillen, falten Sie ein entsprechend großes Stück Alufolie in der Mitte so, dass es knapp auf den Grillrost passt, die Ränder bleiben frei, und bestreichen es mit Pflanzenöl. Die Spareribs darauf 1½ Std. direkt bei mittlerer Hitze grillen.

4. Für die Marinade alle Zutaten gut verrühren. Bis zur zweiten Grillphase bei Zimmertemperatur beiseite stellen.

5. Die Rippchen vom Grill nehmen und zurück auf das Backpapier legen. Mit zwei Drittel der Marinade übergießen und alle Seiten damit bestreichen. 15 Min. ruhen lassen.

6. Die Spareribs mit der Fleischseite nach unten direkt bei niedriger Hitze 15 Min. grillen, dabei einmal wenden. In den letzten 10 Min. mit der übrigen Marinade bestreichen.

7. Vor dem Servieren die Spareribs in Portionsstücke mit 1–2 Rippen schneiden.

TIPP

Bei langen Garzeiten müssen Sie auf dem Holzkohlengrill nach der Hälfte der Zeit möglicherweise Grillkohle nachlegen.

Schmackhafte Spareribs

Gas indirekt, mittlere Hitze / **Weber® Q™** direkt, niedrige Hitze / **Grillkohle** indirekt
Zubereitungszeit 15 Min. + 15 Min. Marinierzeit / **Grillzeit** 15–20 Min. / **Für** 4 Personen

1,5 kg Schweinerippe (Schälrippe)

Für die Marinade:
4 EL Sojasauce
4 EL brauner Zucker
2 EL schwarze Bohnensauce (Asia-Laden)
1 TL süße Chilisauce
150 ml frisch gepresster Orangensaft
Salz und frisch gemahlener schwarzer Pfeffer

1. Für die Marinade alle Zutaten miteinander vermischen und in einem kleinen Topf ein paar Minuten köcheln lassen. Das Fleisch damit übergießen und behutsam darin wenden, damit alle Seiten bedeckt sind. 15 Min. ruhen lassen, in dieser Zeit noch ein- bis zweimal wenden.

2. Die Spareribs herausheben und die Marinade abtropfen lassen. Indirekt bei mittlerer Hitze (Weber® Q™ direkt bei niedriger Hitze) 15–20 Min. grillen; nach 10 Min. wenden. Das Fleisch soll durchgegrillt, aber zart sein. Vor dem Servieren 5–10 Min. mit Alufolie abgedeckt ruhen lassen.

TIPP

Am einfachsten und saubersten können Sie Grillfleisch in einer Plastiktüte marinieren.

Ciabatta-Pizzen
mit heißen Tomaten, Mozzarella und Rucola

Gas direkt, mittlere Hitze / **Weber® Q™** direkt, mittlere Hitze / **Grillkohle** direkt
Zubereitungszeit 10 Min. / **Grillzeit** 7–8 Min. / **Für** 4 Personen

3 EL Olivenöl, plus etwas mehr zum Beträufeln
2 Knoblauchzehen, zerdrückt
Meersalz und frisch gemahlener schwarzer Pfeffer
4 mittelgroße Eiertomaten
4 Scheiben Ciabatta-Brot
150 g Mozzarella, in 4 Scheiben geschnitten
1 Hand voll Rucola, gewaschen und abgetropft

TIPP
Wenn Sie mit Grillkohle garen, verleihen unter die heiße Glut gemischte Basilikumstängel zusätzliches Aroma.

1. Die 3 EL Olivenöl mit dem Knoblauch vermischen, salzen und pfeffern. Die Tomaten halbieren, die Hälften mit ein wenig von dem Knoblauchöl bestreichen und mit der Schnittseite nach oben in eine Grillschale legen (ideal ist die Weber Tropfschale). Etwa 3 Min. bei mittlerer Hitze grillen, bis die Tomaten sich schwarz verfärben. Die Tomaten aus der Grillschale nehmen und beiseite stellen.

2. Die Ciabatta-Scheiben auf einer Seite mit dem restlichen Knoblauchöl bestreichen. 2 Min. bei mittlerer Hitze auf dem Rost grillen, dabei einmal wenden, bis sie auf beiden Seiten geröstet sind. Die Grillschale mit einer Zange oder Handschuhen vom Rost nehmen.

3. Die gerösteten Brotscheiben in die Schale legen, je 1 Scheibe Mozzarella, gefolgt von 2 Tomatenhälften darauflegen, und weitere 2–3 Min. grillen, bis der Käse geschmolzen ist. Die Ciabatta-Pizzen vom Grill nehmen und mit dem Rucola garnieren. Vor dem Servieren nach Belieben noch etwas Pfeffer darübermahlen und mit extra Olivenöl beträufeln.

Hähnchenspieße Montego Bay Jerk

Gas direkt, starke Hitze / **Weber® Q™** direkt, starke Hitze / **Grillkohle** direkt
Zubereitungszeit 20 Min. + 2 Std. Marinierzeit / **Grillzeit** 4 Min. / **Für** 8 Personen

700 g Hähnchenbrustfilet oder ausgelöste Hähnchenschenkel ohne Haut
3 EL zerlassene Butter, zum Bestreichen

Für die Marinade:
1–3 sehr scharfe Chilischoten (Habañero; die Menge richtet sich nach der gewünschten Schärfe), Stielansatz und Samen entfernt
1 kleine Zwiebel, grob gehackt
3 Knoblauchzehen, grob gehackt
1 EL grob gehackter frischer Ingwer
1–2 EL gehacktes Koriandergrün
½ TL Zimtpulver
½ TL gemahlene Nelken

Außerdem:
Holzspieße, 30 Min. gewässert

1. Für die Marinade alle Zutaten in der Küchenmaschine oder im Mixer zu einer groben Paste verarbeiten, wenn nötig, etwas Wasser zugeben. Bei Zimmertemperatur ruhen lassen, während Sie das Fleisch vorbereiten.

2. Das Hähnchenfleisch sorgfältig unter fließendem kaltem Wasser abspülen und mit Küchenpapier trockentupfen. Längs in etwa 5 cm breite Streifen schneiden und in ein flaches Gefäß legen. Die Marinade dazugeben und gründlich vermischen, so dass die Hähnchenstreifen vollständig von ihr überzogen sind. Mit Frischhaltefolie abgedeckt 2 Std. im Kühlschrank marinieren.

3. Das Fleisch aus dem Kühlschrank nehmen und die Marinade abschütteln. Die Hähnchenstreifen der Länge nach zweimal auf die Spieße fädeln, jeweils ein Drittel vom Ende jedes Streifens entfernt.

4. Vor dem Grillen je ein zusammengefaltetes Stück Alufolie an die beiden Stellen auf den Grill legen, an denen die freien Enden der Holzspieße liegen werden – eine Vorsichtsmaßnahme, damit das Holz nicht Feuer fangen kann. Das Fleisch mit der zerlassenen Butter bestreichen und etwa 4 Min. bei starker Hitze grillen, bis es durchgegart ist, dabei einmal wenden.

5. Die Spieße auf einer Platte anrichten und mit Saucen oder Chutneys Ihrer Wahl servieren.

Mini Fisch-Burritos Vera Cruz

Gas direkt, mittlere Hitze / **Weber® Q™** direkt, mittlere Hitze / **Grillkohle** direkt
Zubereitungszeit 15 Min. + 40 Min. Marinierzeit / **Grillzeit** 11–14 Min. / **Ergibt** 8 Stück

8 Seeteufelfilets, je etwa 75 g und 2,5 cm dick
Pflanzenöl, zum Bestreichen
8 weiche Tortilla-Fladen, je 15 cm Durchmesser

Für die Würzpaste:
125 ml Tomatenketchup
3 EL frisch gepresster Orangensaft
1 EL Sojasauce
3 TL mexikanische Gewürzmischung

Zum Servieren:
8 EL pikante Tomaten-Salsa (siehe S. 65)
8 EL saure Sahne (nach Belieben)
1–2 EL gehacktes Koriandergrün

1. Für die Würzpaste den Ketchup, den Orangensaft und die Sojasauce in einer kleinen Schüssel vermischen. Die Gewürzmischung hinzufügen und zu einer glatten Paste verrühren.

2. Die Fischfilets unter fließendem kaltem Wasser abspülen, mit Küchenpapier trockentupfen und gut mit der Paste einreiben. Abgedeckt in einem flachen Gefäß für 40 Min. in den Kühlschrank stellen.

3. Den Fisch aus dem Kühlschrank nehmen und bei Zimmertemperatur noch 10 Min. ruhen lassen, dann mit Öl bestreichen.

4. Die Fischfilets bei mittlerer Hitze 8–10 Min. durchgrillen, nach der Hälfte der Zeit einmal wenden.

5. In der Zwischenzeit je 4 Tortillas in Alufolie einschlagen und auf dem Grill bei mittlerer Hitze 3–4 Min. durchwärmen.

6. Die warmen Tortilla-Fladen auf der Innenseite mit je 1 EL Salsa bestreichen und jeweils 1 Fischfilet in die Mitte setzen; nach Belieben noch je 1 EL saure Sahne daraufgeben. Mit etwas Koriandergrün bestreuen, zu kleinen Päckchen zusammenfalten und servieren.

Javanische Saté-Spießchen

Gas direkt, starke Hitze / **Weber® Q™** direkt, starke Hitze / **Grillkohle** direkt
Zubereitungszeit 25 Min. + 1 Std. Marinierzeit / **Grillzeit** 4 Min. / **Ergibt** 8 Stück

1 EL Sambal oelek, ersatzweise Chilisauce
1 EL Olivenöl
700 g Hähnchenbrustfilet
3 EL zerlassene Butter, zum Bestreichen
25 g Koriandergrün, fein gehackt, zum Servieren

Für die Dip-Sauce:
4 EL Erdnussbutter
2 EL Ketjap manis (süße Sojasauce)
175 ml Kokosmilch

Außerdem:
Holzspieße, 30 Min. gewässert

TIPP

Niemals Öl direkt auf den heißen Grillrost pinseln oder sprühen – streichen Sie stattdessen das Grillgut mit Öl ein.

1. Für die Marinade Sambal oelek oder Chilisauce mit dem Olivenöl in einer kleinen Schüssel gründlich verrühren.

2. Das Hähnchenfleisch unter fließendem kaltem Wasser abspülen, mit Küchenpapier trockentupfen und längs in 2,5 cm breite Streifen schneiden. In einem flachen Gefäß gründlich mit der Marinade vermischen. Mit Frischhaltefolie abdecken und für 1 Std. in den Kühlschrank stellen.

3. Für die Dip-Sauce alle Zutaten bei mittlerer Hitze zum Kochen bringen. Die Hitze reduzieren und unter Rühren 10 Min. sanft köcheln lassen, bis eine glatte, sämige Sauce entstanden ist. Vom Herd nehmen.

4. Das Fleisch aus dem Kühlschrank nehmen, die Marinade abschütteln. Die Hähnchenstreifen der Länge nach zweimal auf die Spieße fädeln, jeweils ein Drittel vom Ende jedes Streifens entfernt.

5. Vor dem Grillen je ein zusammengefaltetes Stück Alufolie an die Stellen auf den Grill legen, an denen die freien Enden der Holzspieße liegen werden, damit das Holz kein Feuer fangen kann. Die Hähnchenspieße in etwa 4 Min. bei starker Hitze durchgrillen, dabei mit Butter bestreichen und nach der Hälfte der Zeit einmal wenden.

6. Die gegrillten Saté-Spießchen mit Koriandergrün bestreuen und zusammen mit der Dip-Sauce servieren.

Krebsfleisch-Küchlein

Gas direkt, mittlere Hitze / **Weber® Q™** direkt, mittlere Hitze / **Grillkohle** direkt
Zubereitungszeit 20 Min. / **Grillzeit** 8–10 Min. / **Ergibt** 8 Stück

900 g Krebsfleisch
2 EL Zitronensaft
900 g Kartoffelpüree, abgekühlt
6 Eiweiß
2 EL Dijon-Senf
½ TL Cayennepfeffer
1 EL grobes Meersalz
frisch gemahlener schwarzer Pfeffer
125 g zerlassene Butter, zum Bestreichen

Zum Garnieren:
8 Zitronenspalten
frische Dillstängel

1. Das Krebsfleisch mit dem Zitronensaft vermischen und beiseite stellen.

2. Die restlichen Zutaten mit Ausnahme der Butter in eine große Schüssel füllen. Das Krebsfleisch behutsam unterheben und alles sorgfältig vermischen. Die Hände mit Wasser befeuchten und aus der Masse 24 kleine, etwa 1,5 cm dicke Küchlein formen. Auf ein mit Backpapier ausgelegtes Blech setzen, damit sie nicht ankleben.

3. Die Küchlein bei mittlerer Hitze 8–10 Min. grillen, bis sie vollständig gar sind. Während des Grillens mit Butter bestreichen und nach der Hälfte der Zeit einmal wenden.

4. Sofort auf einer Servierplatte anrichten und mit Zitronenspalten und Dillstängeln garniert servieren.

Harvey Wallbanger

8 cl Orangensaft
4 cl Wodka
1 cl Galliano (italienischer Kräuter-Gewürzlikör)

Orangensaft und Wodka in ein mit Eiswürfeln gefülltes Longdrinkglas gießen. Umrühren, dann den Galliano vorsichtig daraufgießen. Mit Orangenscheiben dekorieren.

Hamburger mit Cocktailbutter

Gas direkt, mittlere Hitze / **Weber® Q™** direkt, mittlere Hitze / **Grillkohle** direkt
Zubereitungszeit 20 Min. + 1 Std. Kühlzeit / **Grillzeit** 8–10 Min. / **Ergibt** 8 Stück

1 kg mageres Hackfleisch vom Rind
¼ TL grobes Meersalz
frisch gemahlener schwarzer Pfeffer
8 Burger-Brötchen, halbiert
3 EL zerlassene Butter

Für die Cocktailbutter:
6 EL zerlassene Butter
2 EL Tomatenketchup
1 TL Worcester-Sauce
3 Spritzer Tabasco-Sauce

Zum Servieren:
Salatblätter, Tomatenscheiben und rote Zwiebelringe

TIPP

Je weniger Sie das Hackfleisch kneten, umso knuspriger und saftiger werden die Burger beim Grillen.

1. Für die Cocktailbutter alle Zutaten in einem kleinen Plastikbehälter gründlich miteinander verrühren und abgedeckt für 1 Std. in den Kühlschrank stellen.

2. Das Hackfleisch in einer großen Rührschüssel mit Salz und Pfeffer durchmischen. Aus der Masse 8 Fleischbällchen formen, ein wenig flach drücken und auf der Oberseite mit dem Daumen jeweils eine Vertiefung drücken.

3. Die Cocktailbutter aus dem Kühlschrank nehmen und gleichmäßig auf die Fleischbällchen verteilen: Mit einem Teelöffel die Butter in die Vertiefung geben, das Fleisch darüber schließen und die Fleischbällchen zu 2 cm dicken Burgern flach drücken.

4. Die Burger bei mittlerer Hitze 8–10 Min. grillen, je nachdem, ob sie medium oder durchgebraten sein sollen. Nach der Hälfte der Zeit nur einmal wenden.

5. Die Schnittflächen der Brötchen mit etwas zerlassener Butter bestreichen. In den letzten 2 Min., in denen die Burger garen, die Brötchen mit der Schnittseite nach unten um den Rand des Grillrosts herum legen.

6. Die Burger jeweils zwischen zwei Brötchenhälften geben und mit Salatblättern, Tomatenscheiben und roten Zwiebelringen bedecken. Reichen Sie dazu nach Belieben Ketchup und würzige Mayonnaise.

Kleine Ofen-Kartoffeln vom Grill
mit Cheddar-Käse und Schnittlauch

Gas indirekt, mittlere Hitze / **Weber® Q™** direkt, niedrige Hitze / **Grillkohle** indirekt
Zubereitungszeit 15 Min. / **Grillzeit** 45 Min. / **Für** 4 Personen

4 Kartoffeln, je etwa 75 g, abgebürstet
1 EL Olivenöl
¼ TL Meersalz

Für die Füllung:
2 EL Butter
50 g Cheddar-Käse, fein gerieben
4 EL saure Sahne
2 EL frische Schnittlauchröllchen
¼ TL Cayennepfeffer
frisch gemahlener schwarzer Pfeffer

1. Die Kartoffeln mit einer Gabel einstechen und in eine Grillschale legen, in der sie gerade gut Platz haben (ideal ist die kleine Weber Tropfschale). Mit Öl beträufeln und mit Meersalz bestreuen, die Kartoffeln mehrmals wenden.

2. Etwa 45 Min. indirekt bei mittlerer Hitze (auf dem Weber® Q™ direkt bei niedriger Hitze) grillen, die Kartoffeln sollen am Ende sehr weich sein. Während des Garens einige Male wenden, damit sie gleichmäßig bräunen.

3. Die Kartoffeln halbieren, das Innere herauslöffeln und mit der Butter und dem Käse vermischen. Die Masse zurück in die Schalen füllen, je 1 EL saure Sahne daraufsetzen und mit Schnittlauch, Cayennepfeffer und Pfeffer bestreuen.

TIPP
Grills strahlen viel Hitze ab, deshalb stellen Sie sie mindestens 3 m von allen brennbaren Materialien entfernt auf – dazu gehören auch Haus, Garage, Holzzäune usw. Nie in geschlossenen Räumen grillen.

Mini-Pizzen

Gas direkt, mittlere Hitze / **Weber® Q™** direkt, mittlere Hitze / **Grillkohle** direkt
Zubereitungszeit 15 Min. / **Grillzeit** 7 Min. / **Für** 8 Personen

Für die Sauce:
3 EL Olivenöl
3 Knoblauchzehen, mit 1 TL grobem Meersalz grob gehackt
2 TL getrockneter Oregano
1 TL Chiliflocken
2 EL Püree aus sonnengetrockneten Tomaten (Crema di pomodori secchi, aus dem italienischen Feinkostladen)
1 Dose stückige Tomaten (225 g Abtropfgewicht), der Saft abgetropft
¼ TL Salz

Für die Pizzen:
8 Pita-Brote
Olivenöl, zum Bestreichen
450 g Mozzarella, in 8 dicke Scheiben geschnitten
20 frische Basilikumblätter

1. Für die Sauce alle Zutaten in der Küchenmaschine oder im Mixer nur grob pürieren. In einem Topf bei mittlerer Hitze zum Kochen bringen, dabei ständig mit einem Holzlöffel rühren. Vom Herd nehmen und beiseite stellen.

2. Für die Pizzen jeweils 4 Pita-Brote in Alufolie einschlagen und bei mittlerer Hitze auf dem Grill in 4 Min. durchwärmen. Aus der Folie nehmen, die Unterseiten mit Olivenöl bestreichen und auf die Oberseiten gleichmäßig die Sauce verteilen. Auf jedes Brot 1 Scheibe Mozzarella und darauf ein paar Basilikumblätter legen.

3. Bei mittlerer Hitze die Unterseiten 3 Min. grillen, bis sie das typische Grillmuster aufweisen.

4. Zum Servieren die Pizzen entweder in kleinere Stücke schneiden oder ganz servieren.

Orientalische Auberginencreme

Gas direkt, mittlere Hitze / **Weber® Q™** direkt, mittlere Hitze / **Grillkohle** direkt
Zubereitungszeit 15 Min. + 20 Min. Abkühlzeit / **Grillzeit** 32–42 Min. / **Für** 8 Personen

16 Pita-Brote
1 Zitronenspalte
1 EL Olivenöl, zum Beträufeln
½ TL rosenscharfes Paprikapulver

Für den Dip:
2 große Auberginen
4 Knoblauchzehen, mit 1 TL grobem Meersalz grob gehackt
3 EL Tahin (griechische Sesampaste)
3 EL Olivenöl
3 EL frisch gepresster Zitronensaft
½ TL grobes Meersalz
Salz und frisch gemahlener schwarzer Pfeffer

1. Für den Dip die Auberginen waschen, trockentupfen und bei mittlerer Hitze 30–40 Min. grillen, bis sie ganz weich und verschmort sind. Von Zeit zu Zeit wenden, damit die Haut gleichmäßig ankohlt; achten Sie aber darauf, sie nicht zu verletzen.

2. Die Auberginen vom Grill nehmen und auf einem Schneidbrett etwa 20 Min. abkühlen lassen.

3. In der Zwischenzeit die Pita-Brote auf beiden Seiten je 1 Min. auf dem Grill rösten, damit sie knusprig und leicht gebräunt werden. Vom Grill nehmen und in Viertel schneiden. In einem Brotkorb, abgedeckt mit einem sauberen Küchentuch, warm halten.

4. Die Auberginen aufschneiden und das Fruchtfleisch herauslösen; die verkohlte Schale wegwerfen. Das Auberginenfleisch mit den restlichen Dip-Zutaten in der Küchenmaschine oder im Mixer zu einer glatten Creme verarbeiten. Mit etwas Salz und Pfeffer abschmecken.

5. Zum Servieren die Auberginencreme in eine Schüssel füllen, die Zitronenspalte darüber ausdrücken, mit etwas Öl beträufeln und mit dem Paprikapulver bestreuen. Mit den Pita-Vierteln im Brotkorb herumreichen.

Pikante Tomaten-Salsa

Gas indirekt, mittlere Hitze / **Weber® Q™** direkt, niedrige Hitze / **Grillkohle** indirekt
Zubereitungszeit 20 Min. + 20 Min. Abkühlzeit / **Grillzeit** 20 Min. / **Für** 4 Personen

10 reife, feste Eiertomaten, halbiert
Olivenöl
1 kleine rote Zwiebel, fein gehackt
3 Knoblauchzehen, zerdrückt
1 mittelscharfe Chilischote (Jalapeño), Samen entfernt, fein gehackt
1 EL Limettensaft
¼ TL gemahlener Kreuzkümmel
¼ TL grobes Meersalz
25 g Koriandergrün, die Blätter abgezupft

1. Die Tomatenhälften mit Öl bestreichen und mit den Schnittseiten nach oben 20 Min. indirekt bei mittlerer Hitze grillen (Weber® Q™ direkt bei niedriger Hitze). Behutsam in eine nichtmetallene Schüssel legen. Die Haut von den Tomaten abziehen und wegwerfen, die Tomaten bei Zimmertemperatur etwa 20 Min. abkühlen lassen.

2. Den Saft in der Schüssel abgießen und das Fruchtfleisch mit einer Küchenschere in kleine Stücke schneiden. Die restlichen Zutaten mit Ausnahme des Salzes und Koriandergrüns zu den Tomaten geben und mit einem Holzlöffel verrühren.

3. Vor dem Servieren mit dem Salz durchmischen und in eine Servierschüssel umfüllen. Mit Koriandergrün bestreuen und als Sauce zu Grillgerichten oder Dip für Taco-Chips servieren.

Mexican Wave

2 cl Tequila
1 cl Crème de Cassis
1 cl Zuckersirup
Ginger Ale

Tequila, Crème de Cassis und Zuckersirup in einem Shaker mit zerstoßenem Eis schütteln. Durch ein Barsieb in einen Tumbler gießen, mit Ginger Ale auffüllen und mit einem Rührstab (Stirer) aus Glas umrühren. Zur Dekoration ein paar Limettenscheiben darin schwimmen lassen.

Schinken-Ananas-Wraps

Gas direkt, mittlere Hitze / **Weber® Q™** direkt, mittlere Hitze / **Grillkohle** direkt
Zubereitungszeit 15 Min. / **Grillzeit** 12–14 Min. / **Ergibt** 32 Stück

1 große reife Ananas
32 Scheiben Parmaschinken
frische Basilikumblätter, zum Garnieren (nach Belieben)

Für die Buttersauce:
50 g Butter, zerlassen
2 EL Limettensaft
1 EL brauner Zucker
1 TL Cayennepfeffer

Außerdem:
32 Cocktailspieße

1. Den Boden und das obere Ende mit den stacheligen Blättern der Ananas abschneiden. Die Frucht senkrecht auf ein Schneidbrett stellen und mit einem scharfen Messer von oben nach unten schälen, dabei auch die »Augen« aus dem Fruchtfleisch entfernen. Die Ananas in 8 gleich dicke Scheiben schneiden und aus jeder Scheibe mit einem Gemüsemesser den Strunk herausschneiden.

2. Für die Sauce alle Zutaten in einer flachen Schüssel gründlich verrühren. Die Ananasringe in die Sauce tauchen und bei mittlerer Hitze 6–7 Min. auf jeder Seite grillen, bis sie braun und zischend heiß sind. Bestreichen Sie sie dabei mit der restlichen Sauce und wenden Sie sie mit der Grillzange so oft wie nötig.

3. Die gegrillten Ananasringe auf ein Schneidbrett legen und jeden Ring vierteln. 1 Scheibe Schinken um jedes Ananasviertel wickeln und mit einem Cocktailspieß feststecken.

4. Die Wraps auf einer Platte anrichten und nach Belieben mit frischen Basilikumblättern garnieren.

Muschel-Schinken-Spießchen

Gas direkt, starke Hitze / **Weber® Q™** direkt, starke Hitze / **Grillkohle** direkt
Zubereitungszeit 15 Min. / **Grillzeit** 4–6 Min. / **Für** 4 Personen

16 küchenfertige frische große Jakobsmuscheln
8 Scheiben Parmaschinken
1 EL Olivenöl
Saft von 1 Limette
frisch gemahlener schwarzer Pfeffer

Außerdem:
4 Metallspieße

1. Die Schinkenscheiben halbieren und je 1 Jakobsmuschel in die Schinkenhälften wickeln.

2. Olivenöl, Limettensaft und Pfeffer verrühren.

3. Die Muschelpäckchen einzeln in das Limettenöl tauchen und jeweils 4 auf einen Metallspieß stecken. 4–6 Min. bei starker Hitze grillen, bis die Muscheln gerade weich sind; dabei einmal vorsichtig wenden.

TIPP

Sie können sowohl frische als auch tiefgefrorene Jakobsmuscheln verwenden. Frische Muscheln sollten hellbeige bis zartrosa sein und angenehm riechen.

Chorizo in Rotwein

Gas direkt, mittlere Hitze / **Weber® Q™** direkt, mittlere Hitze / **Grillkohle** direkt
Zubereitungszeit 15 Min. + 24 Std. Marinierzeit / **Grillzeit** 8–10 Min. / **Ergibt** 16 Stück

16 frische Koch-Chorizos (spanische Paprikawürste), etwa 1,35 kg, je 13 cm lang
8 dünne Baguettes, je 30 cm lang
250–300 g reifer spanischer Hartkäse (z. B. Manchego), gerieben

Für die Marinade:
350 ml trockener, fruchtiger Rotwein (z. B. Rioja)
3 EL Aceto balsamico
8 Pimentkörner
8 schwarze Pfefferkörner

1. Die Würste vorbereiten, indem Sie jeweils auf einer Seite mit einer Nadel etwa 12 kleine Löcher hineinstechen und auf der anderen Seite über die ganze Länge gleichmäßig verteilt 6 gut 1,5 cm lange, aber sehr flache Einschnitte machen.

2. Für die Marinade alle Zutaten in einem großen flachen Gefäß verrühren. Die Chorizos einlegen, so dass sie von der Marinade bedeckt sind. Mit Frischhaltefolie abgedeckt für 24 Std. in den Kühlschrank stellen.

3. Die Chorizos herausnehmen und abtropfen lassen; die Marinade wird nicht mehr gebraucht. Die Würste bei mittlerer Hitze 5–6 Min. grillen, bis sie durchgegart sind, nach der Hälfte der Zeit einmal wenden. Wenn sich wegen des herabtropfenden Fetts zu oft Flammen entwickeln, dann wechseln Sie für die restliche Grillzeit auf die indirekte Grillmethode.

4. In der Zwischenzeit die Baguettes längs auf-, aber nicht durchschneiden. Je 2 Brote in Alufolie einschlagen und bei mittlerer Hitze in 3–6 Min. auf dem Grill durchwärmen.

5. Jedes Baguette quer halbieren, 1 Chorizo hineinlegen, die Wurst mit Käse bestreuen und servieren.

TIPP

Verwenden Sie immer Grillbesteck mit langen Griffen, wenn Sie auf dem Grill Fleisch wenden. Für Würste ist eine Zange ideal. Stechen Sie nie in das Fleisch hinein, sonst verliert es durch den austretenden Saft seine herrlichen Aromen.

KAPITEL 2

Fisch & Co.

Seeteufelspieße
mit grünem Reis

Gas direkt, mittlere Hitze / **Weber® Q™** direkt, mittlere Hitze / **Grillkohle** direkt
Zubereitungszeit 25 Min. / **Grillzeit** 8–10 Min. / **Für** 4 Personen

Für die Spieße:
500 g Seeteufelfilet
1 unbehandelte Limette, geachtelt
12 Scheiben Frühstücksspeck (Bacon), gesamt etwa 150 g, halbiert
16 frische Lorbeerblätter
3 EL Olivenöl

Für den Reis:
200 g Basmatireis
Salz und frisch gemahlener schwarzer Pfeffer
2 EL grüne Tapenade (Olivenpaste) oder Pesto
2 EL gehackter frischer Estragon

Außerdem:
8 Metallspieße

1. Den Fisch in mundgerechte Würfel schneiden. Auf jeden Spieß 1 Limettenstück, dann abwechselnd den Fisch, die mehrfach zusammengefalteten Speckscheiben und die Lorbeerblätter aufstecken, bis alle Zutaten aufgebraucht sind.

2. Die Spieße mit dem Olivenöl bestreichen und bei mittlerer Hitze 8–10 Min. grillen, dabei einmal wenden.

3. In der Zwischenzeit den Reis nach der Packungsanleitung zubereiten. Den fertigen Reis mit Salz und frisch gemahlenem schwarzem Pfeffer würzen und mit der Tapenade oder dem Pesto und dem Estragon vermischen.

4. Die Fischspieße mit dem grünen Reis servieren.

TIPP
Reinigen Sie Ihre Hände und alle Kochutensilien sorgfältig, wenn Sie mit rohem Fisch in Berührung gekommen sind. Reiben Sie Ihre Arbeitsfläche mit etwas Zitronensaft ein, um sie aufzufrischen.

Seeteufel im Speckmantel
mit Kapern-Pinienkern-Dressing

Gas direkt, mittlere Hitze / **Weber® Q™** direkt, mittlere Hitze / **Grillkohle** direkt
Zubereitungszeit 10 Min. / **Grillzeit** 6–8 Min. / **Für** 4 Personen

4 Seeteufelfilets, je etwa 175 g
frisch gemahlener schwarzer Pfeffer
8 dünne Scheiben Pancetta oder Frühstücksspeck (Bacon)
Öl, zum Bestreichen
2 EL grob gehackte frische glatte Petersilie

Für das Dressing:
2 EL Pinienkerne
3 EL eingelegte Kapern, abgegossen und abgespült
4 EL Olivenöl
Saft von 1 Zitrone

Außerdem:
4 Holz- oder Bambusspieße, 30 Min. gewässert

1. Die Fischfilets mit dem Pfeffer würzen. Jedes Filet mit 2 Speckscheiben umwickeln und so auf die Spieße stecken, dass die Speckscheiben fixiert sind. Beiseite legen.

2. Für das Dressing einen kleinen Topf mit schwerem Boden auf dem Herd erhitzen und die Pinienkerne hineingeben. 1–2 Min. bei starker Hitze unter ständigem Rühren goldgelb rösten. In eine kleine Schüssel umfüllen und beiseite stellen. Die Kapern mit dem Olivenöl und dem Zitronensaft in den Topf geben und ebenfalls beiseite stellen.

3. Die Spieße leicht mit Öl bestreichen und bei mittlerer Hitze 6–8 Min. grillen, dabei einmal wenden.

4. In der Zwischenzeit den Topf zurück auf den Herd stellen und das Dressing behutsam erwärmen. Mit frisch gemahlenem schwarzem Pfeffer würzen und die gerösteten Pinienkerne einrühren.

5. Die Spieße vorsichtig herausziehen und die Fischfilets auf einer Servierplatte anrichten. Mit dem warmen Dressing übergießen und zuletzt mit der Petersilie bestreuen.

Schwertfisch auf marokkanische Art

Gas direkt, mittlere Hitze / **Weber® Q™** direkt, mittlere Hitze / **Grillkohle** direkt
Zubereitungszeit 15 Min. + 30 Min. Marinierzeit / **Grillzeit** 10–12 Min. / **Für** 2 Personen

2 Schwertfischsteaks, je etwa 200 g
Öl, zum Bestreichen

Für die Marinade:
1 Hand voll Koriandergrün
2 Knoblauchzehen
1 TL Paprikapulver
1 TL gemahlener Kreuzkümmel
1 TL gemahlener Koriander
2 EL Zitronensaft
2 EL Olivenöl

1. Für die Marinade alle Zutaten in der Küchenmaschine durchmixen. Die Fischsteaks auf beiden Seiten damit bestreichen und in einer Schüssel, die nicht aus Metall sein darf, abgedeckt 30 Min. kalt stellen.

2. Den Fisch aus der Marinade nehmen (sie wird nicht mehr gebraucht) und mit etwas Öl bestreichen, damit er nicht anklebt. Bei mittlerer Hitze 10–12 Min. grillen, bis die Steaks durchgegart sind, dabei einmal wenden.

Coq Rouge

4 cl weißer Rum
2 cl Gin
2 cl frisch gepresster Zitronen- oder Limettensaft
2 cl Orangenlikör (Cointreau oder Triple Sec)

Alle Zutaten mit zerstoßenem Eis verrühren oder schütteln. Durch ein Barsieb in ein geeistes Cocktailglas gießen, mit einem Streifen unbehandelter Orangenschale dekorieren und sofort servieren.

Fischfilets
mit gegrillten Paprikaschoten und Tomaten

Gas direkt, mittlere Hitze / **Weber® Q™** direkt, mittlere Hitze / **Grillkohle** direkt
Zubereitungszeit 20 Min. + 30 Min. Marinierzeit / **Grillzeit** 20 Min. / **Für** 4 Personen

4 festfleischige Fischfilets (z.B. Steinbutt, Glattbutt, Petersfisch, Rotbarsch, Seezunge oder Seeteufel), je etwa 225 g
2 EL gehackter frischer Thymian
1 EL gehackter frischer Rosmarin
9 EL Olivenöl
Salz und frisch gemahlener schwarzer Pfeffer
1 rote Zwiebel
1 rote Paprikaschote
1 grüne Paprikaschote
4 große Eiertomaten
2 EL gehackte frische glatte Petersilie

1. Die Fischfilets nebeneinander in eine flache Schüssel legen. 1 EL Thymian und den Rosmarin mit 3 EL Olivenöl vermischen, großzügig mit Salz und Pfeffer würzen und die Marinade über den Fisch gießen. Abgedeckt 30 Min. im Kühlschrank marinieren lassen.

2. In der Zwischenzeit die Zwiebel abziehen und in etwa fingerdicke Scheiben schneiden. Von den Paprikaschoten beide Enden abschneiden und die Schoten in fingerdicke Ringe schneiden, dabei die Samen entfernen. Die Tomaten halbieren. Alles Gemüse in einer großen Schüssel mit 2 EL Olivenöl sowie Salz und Pfeffer vermischen.

3. Das Gemüse auf den Grillrost legen, die Schnittflächen der Tomaten nach oben. Bei mittlerer Hitze 8–10 Min. grillen, dabei einmal wenden. In eine Schüssel füllen, die restlichen 4 EL Olivenöl, den restlichen Thymian und die Petersilie dazugeben und gut vermischen.

4. Den Fisch aus der Marinade nehmen (die Marinade wird nicht mehr gebraucht) und je nach Dicke der Filets 5–10 Min. bei mittlerer Hitze grillen, dabei einmal wenden.

5. Das Gemüse auf einer großen Servierplatte anrichten und die Fischfilets darauf verteilen.

Pissaladière

Gas direkt, mittlere Hitze / **Weber® Q™** direkt, mittlere Hitze / **Grillkohle** direkt
Zubereitungszeit 45 Min. + Ruhezeit für den Teig / **Grillzeit** 8 Min. / **Für** 6 Personen

2 TL Trockenhefe
1 TL Zucker
350 g Weizenmehl
1 TL Salz
1½ EL Olivenöl

Für den Belag:
6 EL Olivenöl
4 große rote Zwiebeln, geschält, in dünne Scheiben geschnitten
3 große Knoblauchzehen, zerdrückt
1 kleine Dose stückige Tomaten (200 g)
1 EL Püree aus sonnengetrockneten Tomaten (Crema di pomodori secchi, aus dem italienischen Feinkostladen)
2 EL gehackter frischer Oregano
2 TL extrafeiner Zucker
Salz und frisch gemahlener schwarzer Pfeffer
Öl, zum Bestreichen
100 g in Olivenöl eingelegte Sardellenfilets, abgetropft
32 schwarze Oliven

1. In einer großen Schüssel Hefe, Zucker, Mehl und Salz miteinander vermischen. In die Mitte eine Mulde drücken, 200 ml lauwarmes Wasser und das Olivenöl hineingießen und nach und nach das Mehl einarbeiten. Den Teig auf einer bemehlten Arbeitsfläche glatt und elastisch kneten. In eine saubere große Schüssel legen, abdecken und an einem warmen Ort auf etwa die doppelte Größe aufgehen lassen.

2. Für den Belag das Olivenöl in einem großen Topf erhitzen und darin Zwiebeln und Knoblauch bei niedriger Hitze 15–20 Min. unter gelegentlichem Rühren dünsten. Tomaten, Tomatenpüree und Oregano hinzufügen und zugedeckt 5 Min. sanft köcheln lassen. Den Zucker dazugeben, salzen und pfeffern und ohne Deckel weitere 2–3 Min. köcheln lassen, so dass die Flüssigkeit ein wenig reduziert wird.

3. Den aufgegangenen Teig ein paar Minuten durchkneten, halbieren und jede Hälfte zu einem Teigboden von etwa 25 cm Durchmesser ausrollen. Auf der Oberseite mit Öl bestreichen und mit dieser Seite nach unten auf dem Rost 2–3 Min. bei mittlerer Hitze grillen, bis sich Grillmuster bilden.

4. Auf den gegrillten Seiten gleichmäßig den Zwiebelbelag verstreichen. Die Sardellen längs halbieren und kreuzweise darüberlegen, dazwischen die Oliven legen.

5. Weitere 4–5 Min. grillen, bis die Teigränder goldbraun sind. In schmale Stücke schneiden und warm servieren.

Japanische Tunfischsteaks
mit Wasabi-Mayonnaise

Gas direkt, starke Hitze / **Weber® Q™** direkt, starke Hitze / **Grillkohle** direkt
Zubereitungszeit 15 Min. + 1 Std. Marinierzeit / **Grillzeit** 8–10 Min. / **Ergibt** 8 Stück

8 Tunfischsteaks in Sushi-Qualität, je etwa 115 g und 2,5 cm dick
Pflanzenöl, zum Bestreichen

Für die Mayonnaise:
1 TL Wasabi-Pulver (japanisches grünes Meerrettich-Pulver, aus dem Asia-Laden), ersatzweise scharfer Senf
250 ml Mayonnaise

Für die Marinade:
8 EL Sojasauce
2 EL helles Sesamöl
Salz und frisch gemahlener schwarzer Pfeffer
4 Knoblauchzehen, zerdrückt
2 EL fein gehackter frischer Ingwer

1. Für die Mayonnaise das Wasabi-Pulver mit 1 TL kaltem Wasser verrühren und diese Paste oder den Senf mit der Mayonnaise vermischen. Abgedeckt kalt stellen.

2. Für die Marinade Sojasauce und Sesamöl gründlich miteinander verrühren, salzen, pfeffern und den Knoblauch und den Ingwer sorgfältig unterrühren.

3. Den Fisch unter fließendem kaltem Wasser abspülen und mit Küchenpapier trockentupfen.

4. Die Steaks in eine flache Schüssel geben, mit der Marinade übergießen und mehrmals darin wenden. Mit Frischhaltefolie bedeckt für 1 Std. in den Kühlschrank stellen.

5. Herausnehmen und bei Zimmertemperatur noch 10 Min. ruhen lassen. Die Fischsteaks abtropfen lassen (die Marinade aufheben) und auf beiden Seiten mit etwas Öl bestreichen. Bei starker Hitze 8–10 Min. grillen, dabei weiter mit der Marinade bestreichen, und nach der Hälfte der Zeit einmal wenden. Der Tunfisch soll in der Mitte noch rot sein.

6. Die Tunfischsteaks mit einem Klecks Mayonnaise und nach Belieben auf einem Salat aus Fenchel, Paprikaschoten und Rotkohl servieren.

Kartoffel-Fisch-Küchlein
mit Aïoli

Gas direkt, mittlere Hitze / **Weber® Q™** direkt, mittlere Hitze / **Grillkohle** direkt / **Zubereitungszeit** 40 Min. + 30 Min. Abkühlzeit + 24 Std. Einsalzen des Fischs / **Grillzeit** 10 Min. / **Für** 4 Personen

100 g Salz
1 dickes Kabeljaufilet mit Haut, gut 500 g
600 ml Milch
500 g mehlige Kartoffeln, geschält
2 EL Olivenöl
3 große Knoblauchzehen, zerdrückt
frisch gemahlener schwarzer Pfeffer
1 EL gehackte frische glatte Petersilie
1 EL frische Schnittlauchröllchen
Mehl, zum Bestäuben
Aïoli (siehe S. 35), zum Servieren

1. Am Vortag die Hälfte des Salzes in einer Lage in ein entsprechend großes Gefäß häufen, den Fisch mit der Hautseite nach unten auf das Salzbett legen und mit dem restlichen Salz gleichmäßig bedecken. Verschließen und in den Kühlschrank stellen. Am nächsten Tag das Filet gründlich abspülen und in frischem kaltem Wasser 1 Std. wässern.

2. Abtropfen lassen, mit der Milch in einem Topf zum Kochen bringen und den Fisch darin 6–8 Min. pochieren. Die Milch abgießen, den Fisch abkühlen lassen, dann Haut und Gräten entfernen und das Fleisch grob zerpflücken.

3. Die Kartoffeln in Stücke schneiden und in kochendem Salzwasser in 20 Min. weich garen. Abgießen, den Topf zurück auf den heißen Herd stellen und die Kartoffeln darin 1 Min. ausdampfen lassen. Den Topf dabei kräftig rütteln.

4. Olivenöl, Knoblauch und reichlich Pfeffer zu den Kartoffeln geben und alles zu einem weichen Püree zerstampfen. Dann die Petersilie, den Schnittlauch und den Fisch gleichmäßig unterheben. Die Masse in 8 Portionen teilen und aus jeder 1 Küchlein formen. Gut 30 Min. abkühlen lassen.

5. Die Küchlein mit Mehl bestäuben, überschüssiges Mehl abschütteln, und bei mittlerer Hitze 8–10 Min. grillen, dabei einmal wenden. Mit der Aïoli servieren.

Saftige Tunfischsteaks

Gas direkt, mittlere Hitze / **Weber® Q™** direkt, mittlere Hitze / **Grillkohle** direkt
Zubereitungszeit 15 Min. + 30 Min. Marinierzeit / **Grillzeit** 8–10 Min. / **Für** 4 Personen

4 Tunfischsteaks, je etwa 200 g
Limettenspalten, zum Garnieren

Für die Marinade:
1 Stück frischer Ingwer (gut walnussgroß), geschält und gerieben
1 milde rote Chilischote, Samen entfernt, fein gehackt
geriebene Schale und Saft von 2 unbehandelten Limetten
¼ TL Salz
3 EL Sesamöl
1 EL Austernsauce (Asia-Laden)

1. Die Zutaten für die Marinade miteinander vermischen und den Fisch in einer großen, nichtmetallenen Schüssel damit übergießen. Einmal wenden. Mit Frischhaltefolie abdecken und im Kühlschrank 30 Min. marinieren.

2. Die Steaks herausnehmen (die Marinade wird nicht mehr gebraucht) und bei mittlerer Hitze 8–10 Min. grillen, bis der Fisch durchgegart ist, dabei einmal wenden. Die Garzeit richtet sich nach der Dicke der Steaks. Mit Limettenspalten servieren. Dazu passen grüner Reis (siehe S. 72) und ein kleiner gemischter Salat.

TIPP

Fisch ist umso köstlicher, je frischer er ist. Kaufen Sie daher immer den frischesten, der gerade erhältlich ist, und passen Sie lieber das Rezept Ihrem Einkauf an.

Heilbutt
mit Limetten-Estragon-Butter

Gas direkt, mittlere Hitze / **Weber® Q™** direkt, mittlere Hitze / **Grillkohle** direkt
Zubereitungszeit 15 Min. / **Grillzeit** 10–12 Min. / **Für** 4 Personen

4 Heilbuttsteaks, je etwa 175 g
Salz und frisch gemahlener schwarzer Pfeffer
100 g weiche Butter
abgeriebene Schale und Saft von 1 unbehandelten Limette
2 EL gehackter frischer Estragon

TIPP

Lassen Sie rohe Zutaten vor dem Grillen nicht in der Sonne liegen. Sie müssen gut abgedeckt und kühl gelagert werden.

1. Die Fischsteaks mit Salz und frisch gemahlenem schwarzem Pfeffer würzen.

2. Die Butter mit Schale und Saft der Limette sowie dem Estragon mixen.

3. Die Hälfte der Limetten-Estragon-Butter beiseite stellen. Die andere Hälfte in einem kleinen Topf zerlassen, anschließend die Steaks auf beiden Seiten damit bestreichen.

4. Den Fisch bei mittlerer Hitze 10–12 Min. (je nach Dicke der Steaks) grillen, bis er zart ist; nach der Hälfte der Zeit einmal wenden. Mit der zurückbehaltenen Limetten-Estragon-Butter servieren. Dazu passt Couscous.

Wolfsbarsch auf griechische Art

Gas indirekt, mittlere Hitze / **Weber® Q™** direkt, mittlere Hitze / **Grillkohle** indirekt
Zubereitungszeit 15 Min. / **Grillzeit** 10–20 Min. / **Für** 2 Personen

2 küchenfertige Wolfsbarsche, je 350 g, Flossen entfernt
Salz und frisch gemahlener schwarzer Pfeffer
4 EL Olivenöl
2 EL gehackte schwarze Oliven
1 eingelegte Zitrone (arabischer Feinkostladen), abgetropft und gehackt
2 Bund frischer Thymian (insgesamt etwa 10 g)

1. Die Fische innen und außen waschen und mit Küchenpapier trockentupfen. Außen auf beiden Seiten je 3 Einschnitte machen. Die Fische innen und außen mit Salz und Pfeffer würzen. 2 EL Olivenöl, die Oliven und die Zitrone miteinander vermischen und die Fische damit und mit dem größten Teil des Thymians füllen.

2. Die Fische auf beiden Seiten mit dem restlichen Öl bestreichen und indirekt bei mittlerer Hitze 15–20 Min. grillen (Weber® Q™ 10–15 Min. direkt bei mittlerer Hitze), nach der Hälfte der Zeit einmal wenden. Mit dem restlichen Thymian garniert servieren.

TIPP

Als Garprobe, ob ein Fisch ganz durch ist, stechen Sie mit einem spitzen Messer tief in die dickste Stelle, ziehen es heraus und prüfen, ob die Messerspitze heiß ist.

Gegrillte Räucherlachs-Tortillas

Gas direkt, starke Hitze / **Weber® Q™** direkt, starke Hitze / **Grillkohle** direkt
Zubereitungszeit 10 Min. / **Grillzeit** 4 Min. / **Ergibt** 16–24 Stück

8 weiche Tortilla-Fladen, je 15–20 cm Durchmesser
250 g Räucherlachs, in 8 Scheiben geschnitten
8 frische Dillstängel, plus mehr zum Garnieren
Pflanzenöl, zum Bestreichen
Zitronenspalten, zum Garnieren

Für die Füllung:
200 g Frischkäse
1 kleine rote Zwiebel, geschält, fein gehackt
1–2 TL Zitronensaft
1 TL grob zerstoßene schwarze Pfefferkörner

Außerdem:
8 Holzspieße, 30 Min. gewässert

1. Für die Füllung alle Zutaten in einer kleinen Schüssel sorgfältig miteinander vermischen.

2. Die Tortillas auf eine saubere Arbeitsfläche legen und jeweils eine dünne Schicht der Füllung gleichmäßig auf ihnen verstreichen. Mit je 1 Scheibe Lachs belegen und in die Mitte 1 Dillstängel geben. Den Fladen aufrollen.

3. Je 2 Tortillarollen nebeneinander legen und auf 2 Spieße stecken, indem Sie etwa 5 cm vom oberen Ende entfernt einen Holzspieß durch beide Rollen stechen und am unteren Ende im gleichen Abstand den zweiten. Auf diese Weise alle Tortillarollen aufstecken.

4. Die Spieße außen leicht mit Öl bestreichen. Jeden Spieß bei starker Hitze etwa 4 Min. auf den Grill legen, gerade lange genug, um die Tortillas durchzuwärmen und Grillmuster auf ihnen zu hinterlassen. Nach der Hälfte der Zeit wenden.

5. Zum Servieren die Spieße vorsichtig herausziehen. Jede Rolle halbieren oder dritteln. Auf einer Servierplatte anrichten und mit den extra Dillstängeln und Zitronenspalten garnieren.

Lachs mit Tamarinden-Glasur

Gas direkt, mittlere Hitze / **Weber® Q™** direkt, mittlere Hitze / **Grillkohle** direkt
Zubereitungszeit 20 Min. / **Grillzeit** 8–10 Min. / **Ergibt** 8 Stück

8 Lachsfilets mit Haut, je 75 g und 2,5 cm dick
1 EL gemahlener Kreuzkümmel
8 Blätter Eisbergsalat

Für die Glasur:
6 EL Tamarindenpaste (Asia-Laden)
1 reife Banane, in Stücke geschnitten
1 EL Sojasauce
1 EL Olivenöl
1 kleine rote Chilischote, Samen entfernt
¼ TL Salz

1. Die Lachsfilets mit den Fingern auf übrig gebliebene Gräten absuchen, wenn nötig, mit einer Pinzette herausziehen. Den Fisch unter fließendem kaltem Wasser abspülen und mit Küchenpapier trockentupfen.

2. Die Filets in eine flache Schüssel legen und ringsum mit dem Kreuzkümmel einreiben. 20 Min. bei Zimmertemperatur einziehen lassen.

3. In der Zwischenzeit die Glasur herstellen: Alle Zutaten in der Küchenmaschine oder mit dem Pürierstab zu einer glatten Sauce verarbeiten. Die Sauce in einem mittelgroßen Topf rasch zum Kochen bringen, dann die Hitze reduzieren und 5 Min. köcheln lassen. Vom Herd nehmen.

4. Jedes Fischfilet mit der Glasur einpinseln. Mit der Hautseite nach unten bei mittlerer Hitze 8–10 Min. grillen, bis der Fisch durchgegart ist. Dabei nach 3–4 Min., oder wenn die Haut knusprig ist, einmal wenden.

5. Vor dem Servieren mit der restlichen Glasur bestreichen und auf den Salatblättern anrichten.

Teriyaki-Lachs

Gas direkt, mittlere Hitze / **Weber® Q™** direkt, mittlere Hitze / **Grillkohle** direkt
Zubereitungszeit 15 Min. + 1 Std. Marinierzeit / **Grillzeit** 8–10 Min. / **Für** 4 Personen

4 Lachssteaks, je etwa 200 g
Öl, zum Bestreichen
2 Frühlingszwiebeln, geputzt und in feine Streifen geschnitten, zum Garnieren
Koriandergrün, zum Garnieren

Für die Marinade:
100 ml Sojasauce
100 ml trockener Sherry
100 ml Sake (japanischer Reiswein) oder Reisessig (Asia-Laden)
2 EL brauner Zucker
¼ TL zerstoßene Chiliflocken (nach Belieben)

1. Die Lachssteaks nebeneinander in eine große, nichtmetallene Schüssel legen. Die Zutaten für die Marinade miteinander vermischen und über den Fisch gießen. Die Steaks wenden und abgedeckt etwa 1 Std. kalt stellen.

2. Den Lachs aus der Marinade nehmen (die Marinade wird nicht mehr gebraucht), mit Öl bestreichen und bei mittlerer Hitze 8–10 Min. grillen; nach der Hälfte der Zeit einmal wenden.

3. Die Lachssteaks mit Frühlingszwiebeln und Korianderblättern garnieren und servieren.

TIPP

Wenn Sie alles rechtzeitig gut vorbereiten – marinieren, klein schneiden usw. –, wird das Grillen zum Vergnügen.

Reis-Burger mit Lachswürfelchen

Gas direkt, starke Hitze / **Weber® Q™** direkt, starke Hitze / **Grillkohle** direkt
Zubereitungszeit 25 Min. / **Grillzeit** 8–10 Min. / **Ergibt** 8 Stück

180 g gekochter Sushi-Reis (aus etwa 75 g ungekochtem Reis, folgen Sie der Packungsanweisung)
450 g Lachsfilet ohne Haut, leicht angefroren
6 EL Teriyaki-Sauce (Asia-Laden)
1 TL Wasabi-Pulver (japanisches grünes Meerrettich-Pulver, aus dem Asia-Laden), ersatzweise scharfer Senf
2 Knoblauchzehen, zerdrückt
3 EL fein gehackter frischer Ingwer
¼ TL Salz
Pflanzenöl, zum Bestreichen

1. Den gekochten Sushi-Reis in einer Schüssel bei Zimmertemperatur abkühlen lassen. Den Lachs aus dem Tiefkühlfach nehmen und unter fließendem kaltem Wasser abspülen. Eventuell vorhandene Gräten entfernen und den Fisch mit Küchenpapier trockentupfen. Auf einem Schneidbrett in etwa 6 mm große Würfelchen schneiden und in eine Schüssel geben.

2. Die Teriyaki-Sauce mit dem Wasabi-Pulver oder dem Senf verrühren, dann den Knoblauch, den Ingwer und das Salz hinzufügen. Von dieser Mischung 3 EL zum späteren Glasieren zurückbehalten, den Rest über die Lachswürfelchen gießen und umrühren.

3. Den Reis zum Lachs geben und mit den Händen gut vermengen. Formen Sie aus der Masse 8 etwa 2,5 cm dicke Burger und legen Sie sie auf einen mit Backpapier ausgelegten großen Teller.

4. Die Burger auf beiden Seiten mit etwas Öl bestreichen und bei starker Hitze 8–10 Min. grillen (sie sollen in der Mitte nicht durchgebraten sein), dabei mit der zurückbehaltenen Glasur bestreichen und nach der Hälfte der Zeit einmal wenden. Vom Grill nehmen und warm servieren.

Garnelenspieße mit Ananas-Dip
(Foto siehe S. 70/71)

Gas direkt, starke Hitze / **Weber® Q™** direkt, starke Hitze / **Grillkohle** direkt
Zubereitungszeit 15 Min. + 1 Std. Marinierzeit / **Grillzeit** 4–6 Min. / **Ergibt** 8 Stück

900 g küchenfertige geschälte rohe Riesengarnelen, mit Schwanzfächer
3 EL zerlassene Butter, zum Bestreichen
25 g Koriandergrün, grob gehackt, zum Servieren

Für die Marinade:
400 ml Kokosmilch
1 TL Sambal oelek, ersatzweise Chilisauce
2 Knoblauchzehen, zerdrückt

Für den Dip:
250 g frische Ananas, Fruchtfleisch gehackt, Saft aufgefangen
2 EL Ketjap manis (süße Sojasauce)
2 EL Erdnussöl
1 EL geriebener frischer Ingwer

Außerdem:
8 Holzspieße, 30 Min. gewässert

1. Für die Marinade alle Zutaten in einer kleinen Schüssel gründlich verrühren. Beiseite stellen.

2. Die Garnelen kalt abspülen, mit Küchenpapier trockentupfen und in einer flachen Schüssel mit der Marinade übergießen. Behutsam vermischen und mit Frischhaltefolie abgedeckt für 1 Std. in den Kühlschrank stellen.

3. Für den Dip Ananasstücke, -saft und Ketjap manis zu einer glatten Sauce pürieren. In einem Topf das Öl erhitzen und den Ingwer darin dünsten, bis er Farbe annimmt. Sofort die Ananassauce einrühren und alles zum Kochen bringen. Die Hitze reduzieren und 3 Min. sanft köcheln lassen, bis die Sauce etwas eindickt. In eine kleine Schüssel umfüllen und bis zum Servieren ruhen lassen.

4. Die Marinade von den Garnelen abgießen. Die Garnelen auf die Spieße verteilen und jede Garnele sowohl am Kopf- als auch am Schwanzteil aufstecken.

5. Bei starker Hitze 4–6 Min. grillen, bis das Garnelenfleisch nicht mehr durchsichtig ist. Während des Grillens mit der zerlassenen Butter bestreichen und nach der Hälfte der Zeit einmal wenden.

6. Die Garnelenspieße mit dem Koriandergrün bestreuen und mit dem Ananas-Dip servieren.

Garnelen in Honig-Soja-Marinade

Gas direkt, mittlere Hitze / **Weber® Q™** direkt, mittlere Hitze / **Grillkohle** direkt
Zubereitungszeit 15 Min. / **Grillzeit** 4–7 Min. / **Für** 4 Personen

36 küchenfertige geschälte rohe Riesengarnelen ohne Kopf
Saft von 2 Limetten
Öl, zum Bestreichen

Für die Marinade:
3 EL heller, flüssiger Honig
5 EL Sojasauce
1 EL Chilisauce
2 EL Olivenöl

Außerdem:
12 Holzspieße, 30 Min. gewässert

1. Die Garnelen in eine nichtmetallene Schüssel legen und den Limettensaft darüberträufeln. Gut umrühren, damit alle gleichmäßig bedeckt sind, und 5 Min. einziehen lassen.

2. Für die Marinade den Honig, Soja- und Chilisauce sowie das Olivenöl miteinander vermischen. Über die Garnelen gießen und sorgfältig umrühren. Die Garnelen sollen gleichmäßig mit der Marinade überzogen sein.

3. Die Garnelen aus der Marinade nehmen (die Marinade wird nicht mehr gebraucht) und je 3 Garnelen auf einen Spieß stecken, zwischen ihnen etwas Platz lassen. Mit Öl bestreichen.

4. Die Spieße bei mittlerer Hitze 4–7 Min. (je nach Größe der Garnelen) grillen, bis das Fleisch durchgegart und rosafarben ist; nach der Hälfte der Zeit einmal wenden.

Orange Blossom

2 cl Gin
2 cl Orangensaft

Gin und Orangensaft mit zerstoßenem Eis kräftig im Cocktailshaker schütteln. Durch ein Barsieb in ein geeistes Glas gießen und mit einer Orangenscheibe garniert servieren.

KAPITEL 3

Geflügel

Chicken Wings mit Käsesauce

Gas indirekt, mittlere Hitze / **Weber® Q™** direkt, niedrige Hitze / **Grillkohle** indirekt
Zubereitungszeit 25 Min. + 3 Std. Marinierzeit / **Grillzeit** 30 Min. / **Für** 8 Personen

700 g Hähnchenflügel ohne Haut

Für die Marinade:
125 g Butter
3 Knoblauchzehen, zerdrückt
1 EL geriebener frischer Ingwer
2 EL Limettensaft
2 EL Sojasauce
2 TL Sambal oelek, ersatzweise Chilisauce

Für die Sauce:
100 g Blauschimmelkäse
220 ml Mayonnaise
½ TL frisch gemahlener schwarzer Pfeffer

1. Für die Marinade die Hälfte der Butter zerlassen und Knoblauch und Ingwer darin in 2–3 Min. glasig dünsten. Limettensaft, Sojasauce und Sambal oelek dazugießen und alles zum Kochen bringen. Die restliche Butter dazugeben und unter ständigem Rühren schmelzen lassen. Vom Herd nehmen und bei Zimmertemperatur abkühlen lassen.

2. Die Hähnchenflügel sorgfältig unter fließendem kaltem Wasser abspülen und mit Küchenpapier trockentupfen. Die Flügel an den Gelenken in einzelne Teile trennen; die Flügelspitzen abschneiden und wegwerfen (oder für eine Brühe verwenden). Die Marinade gut mit dem Fleisch vermengen. Mit Frischhaltefolie abgedeckt 3 Std. kalt stellen.

3. Für die Sauce den Käse in einer Schüssel mit einer Gabel zerdrücken. Mayonnaise und Pfeffer hinzufügen und alles zu einer glatten Masse verrühren. Mit Frischhaltefolie abdecken und bis zum Servieren kalt stellen.

4. Die Hähnchenflügel aus der Marinade nehmen (sie wird nicht mehr gebraucht) und indirekt bei mittlerer Hitze (Weber® Q™ direkt bei niedriger Hitze) etwa 30 Min. grillen, bis das Fleisch vollständig durchgegart ist. Nur einmal nach der Hälfte der Grillzeit wenden.

5. Die Chicken Wings auf einer großen Servierplatte anrichten und die Käsesauce separat dazustellen, damit sich jeder Gast selbst bedienen kann.

Hähnchenbrustspieße
mit grünen Oliven

Gas direkt, mittlere Hitze / **Weber® Q™** direkt, mittlere Hitze / **Grillkohle** direkt
Zubereitungszeit 20 Min. + 2 Std. Marinierzeit / **Grillzeit** 10 Min. / **Für** 4 Personen

450 g Hähnchenbrustfilet, in 12 Streifen geschnitten
1 rote Zwiebel
16 große grüne spanische Oliven, entsteint

Für die Marinade:
1 EL Olivenöl
2 EL Weinbrand
85 ml trockener Sherry
1 kleine Knoblauchzehe, zerdrückt
½ TL gehackter frischer Thymian
¼ TL Fenchelsamen
Salz und frisch gemahlener schwarzer Pfeffer

Außerdem:
4 Spieße

1. Für die Marinade Olivenöl, Weinbrand, Sherry, Knoblauch, Thymian und Fenchel sowie reichlich Salz und Pfeffer in einer Rührschüssel miteinander vermischen. Die Hähnchenstreifen in eine große flache Schüssel füllen und mit der Marinade übergießen. Abgedeckt 2 Std. im Kühlschrank durchziehen lassen. Verwenden Sie Holz- oder Bambusspieße, müssen diese mindestens 30 Min. in kaltem Wasser eingeweicht werden.

2. Die Zwiebel abziehen, in Spalten schneiden und aufblättern. Beiseite stellen. Die Marinade abgießen und für später aufbewahren.

3. Auf jeden der Spieße zuerst ein paar Zwiebeln, dann abwechselnd 3 Streifen Hähnchenfleisch, mehrfach aufgefädelt wie eine Ziehharmonika, und 4 Oliven stecken; mit weiteren Zwiebelstücken abschließen. Die Spieße mit der zurückbehaltenen Marinade bestreichen, leicht salzen und pfeffern. Die restliche Marinade wird nicht mehr gebraucht.

4. Die Hähnchenspieße bei mittlerer Hitze 8–10 Min. durchgrillen, dabei einmal wenden.

Gegrilltes Hähnchen
mit Knoblauch-Estragon-Butter gefüllt

Gas indirekt, mittlere Hitze / **Weber® Q™** direkt, niedrige Hitze / **Grillkohle** indirekt
Zubereitungszeit 30 Min. / **Grillzeit** 2¼ Std. / **Für** 6–8 Personen

3 Knoblauchknollen
3 TL Olivenöl
75 g weiche Butter
75 g Doppelrahm-Frischkäse
1 unbehandelte Zitrone, Saft ausgepresst, Zitronenhälften aufbewahrt
2 Schalotten, fein gehackt
75 g frische Champignons, sehr fein gehackt
2 EL gehackte frische glatte Petersilie
2 EL gehackter frischer Estragon
1 küchenfertiges Hähnchen (1,75–2,25 kg)
Salz und frisch gemahlener schwarzer Pfeffer

1. Die äußere Schale der Knoblauchknollen entfernen, die Zehen dabei aber nicht vereinzeln. Die Knollen oben quer durchschneiden, so dass die Spitzen der Zehen angeschnitten sind. Die Schnittflächen mit je 1 TL Olivenöl beträufeln. Die Knollen einzeln in Alufolie schlagen und 45 Min. bei mittlerer Hitze grillen, bis sie sehr weich sind. Abkühlen lassen.

2. Die Knollen auspacken und aus jeder Zehe das weiche Innere in eine Schüssel drücken. Butter, Frischkäse und Zitronensaft dazugeben und alles zu einer glatten Masse verschlagen. Schalotten, Pilze und die Kräuter unterheben. Mit Salz und Pfeffer würzen, gut umrühren und beiseite stellen.

3. Zum Füllen die Haut über der Hähnchenbrust vom Fleisch lösen. Fahren Sie dafür mit den Fingern vorsichtig immer weiter unter die Haut, ohne dass sie reißt. Die Haut an den Schenkeln auf die gleiche Weise lösen. Die gesamte Buttermischung zwischen Haut und Fleisch füllen, so dass das Brust- und möglichst viel Schenkelfleisch damit bedeckt sind. Die Zitronenhälften kommen in die Bauchhöhle.

4. Das Hähnchen salzen und pfeffern und indirekt bei mittlerer Hitze (Weber® Q™ direkt bei niedriger Hitze) 1¼–1½ Std. grillen. Wenn Sie mit einem Messer in den dicksten Teil des Schenkels stechen und klarer Saft austritt, ist es gar. Vor dem Tranchieren 10 Min. ruhen lassen.

Indische Hähnchen-Happen

Gas direkt, mittlere Hitze / **Weber® Q™** direkt, mittlere Hitze / **Grillkohle** direkt
Zubereitungszeit 20 Min. + 1 Std. Marinierzeit / **Grillzeit** 8 Min. / **Ergibt** 32 Stück

700 g Hähnchenbrust oder Schenkelfleisch ohne Haut
8 indische Naan-Brote (Asia-Laden), je 20 cm Durchmesser
3 EL zerlassene Butter, zum Bestreichen
8 EL süßes Chutney (Asia-Laden oder selbst gemacht)

Für die Marinade:
4 Knoblauchzehen, zerdrückt
4 EL indische Tikka-Gewürzmischung (Asia-Laden) oder Currypulver
3 EL Zitronensaft
250 g Naturjoghurt

TIPP

Sorgen Sie immer dafür, dass Ihr Grill sicher und eben steht – niemals auf einem schiefen oder wackeligen Gerät grillen!

1. Für die Marinade alle Zutaten gut miteinander verrühren. Bei Zimmertemperatur beiseite stellen.

2. Das Hähnchenfleisch sorgfältig kalt abspülen, mit Küchenpapier trockentupfen und das Fleisch in 2,5 cm breite Streifen schneiden. In einer flachen Schüssel mit der Marinade übergießen, gründlich vermischen und mit Frischhaltefolie abgedeckt 1 Std. in den Kühlschrank stellen.

3. Das Hähnchenfleisch aus dem Kühlschrank nehmen und die Mariande abgießen (sie wird nicht mehr gebraucht).

4. Bevor Sie das Fleisch grillen, je 4 Naan-Brote in Alufolie einschlagen und auf dem Grillrost bei mittlerer Hitze in 4 Min. durchwärmen. Oder Sie bestreichen die Brote mit Öl und legen sie direkt auf den Rost.

5. Anschließend das Hähnchenfleisch bei mittlerer Hitze in etwa 4 Min. auf dem Grill durchbraten, dabei mit Butter bestreichen und nach der Hälfte der Zeit einmal wenden.

6. Zum Servieren die Brote vierteln und in einem Korb, der mit einem sauberen Küchentuch abgedeckt ist, warm halten. In einer kleinen Schüssel das Chutney in die Mitte einer großen Servierplatte stellen und die fertigen Hähnchenstreifen rundherum anrichten. Jeder bedient sich selbst, indem er ein Stück Fleisch auf ein Brot legt und es mit Chutney garniert.

Hähnchenschenkel mit Rosmarin
auf Bohnen-Feta Salat

Gas indirekt, mittlere Hitze / **Weber® Q™** direkt, niedrige Hitze / **Grillkohle** indirekt
Zubereitungszeit 25 Min. + 1 Std. Marinierzeit / **Grillzeit** 40 Min. / **Für** 4 Personen

4 Hähnchenkeulen, in Ober- und Unterschenkel zerlegt

Für die Marinade:
150 ml Olivenöl
Saft und Schale von 1 unbehandelten Zitrone
2 EL gehackter frischer Rosmarin
Meersalz und frisch gemahlener schwarzer Pfeffer

Für den Salat:
4 EL Olivenöl
1 Schalotte, sehr fein gehackt
2–3 Knoblauchzehen, zerdrückt
100 g schwarze Oliven, vorzugsweise Kalamata
2 Dosen Butterbohnen (je 240 g Abtropfgewicht), abgegossen und abgespült
2 EL gehackte frische glatte Petersilie
Saft von ½ Zitrone
350 g Feta-Käse
1–2 Köpfe Romanasalat

1. Für die Marinade alle Zutaten in einer Schüssel sorgfältig verrühren. Die Hähnchenschenkel in einer großen flachen Schüssel nebeneinander legen und mit der Marinade übergießen. Mit Frischhaltefolie abgedeckt 1 Std. im Kühlschrank marinieren.

2. Für den Salat das Olivenöl in einem großen Topf erhitzen und die Schalotte und den Knoblauch in 8–10 Min. bei niedriger Hitze darin weich dünsten. Oliven, Butterbohnen, Petersilie und Zitronensaft hinzufügen und alles etwa 1 Min. durchwärmen. Mit Salz und Pfeffer abschmecken, vom Herd nehmen und vollständig abkühlen lassen.

3. Das Fleisch aus der Marinade nehmen. Die Marinade in einem kleinen Topf zum Kochen bringen, gut 1 Min. abkochen lassen, vom Herd nehmen und beiseite stellen. Die Schenkel salzen und pfeffern und indirekt bei mittlerer Hitze (Weber® Q™ direkt bei niedriger Hitze) 35–40 Min. grillen, dabei nach der Hälfte der Zeit einmal wenden und mit der Marinade bestreichen.

4. Den Feta-Käse grob zerbröckeln und mit den angemachten Bohnen vermischen. Den Salat putzen und waschen und die Blätter auf einer Servierplatte anrichten. Den Bohnen-Feta-Salat darauf verteilen, die gegrillten Hähnchenschenkel obendrauf legen und servieren.

Hähnchen-Artischocken-Spieße

Gas direkt, mittlere Hitze / **Weber® Q™** direkt, mittlere Hitze / **Grillkohle** direkt
Zubereitungszeit 25 Min. / **Grillzeit** 10 Min. / **Für** 4 Personen

700 g mageres ausgelöstes Hähnchenfleisch ohne Haut
1 großes Bund Frühlingszwiebeln
1 Dose Artischockenherzen (240 g Abtropfgewicht)
3 Zitronen, davon 2 unbehandelte
2 TL gehackter frischer Thymian
3 EL dickflüssiger Honig, vorzugsweise griechischer
3 EL Olivenöl
Salz und frisch gemahlener schwarzer Pfeffer
200 g griechischer Joghurt
1–2 EL schwarze Tapenade (Olivenpaste)

Außerdem:
8 Spieße

1. Wenn Sie Holz- oder Bambusspieße verwenden, weichen Sie sie mindestens 30 Min. in kaltem Wasser ein.

2. Das Hähnchenfleisch in mundgerechte, das heißt etwa 2,5 cm große, die Frühlingszwiebeln in kurze Stücke schneiden. Die Artischockenherzen abgießen, unter fließendem kaltem Wasser abspülen, mit Küchenpapier trockentupfen und halbieren. Die 2 unbehandelten Zitronen vierteln und jedes Viertel in 2 Spalten schneiden. Das Fleisch, die Frühlingszwiebeln, die Artischockenhälften und die Zitronenspalten abwechselnd auf die Spieße stecken und beiseite stellen.

3. Die dritte Zitrone auspressen und den Saft in eine Schüssel gießen. Thymian, Honig und Olivenöl dazugeben und alles gründlich verschlagen, so dass sich der Honig und das Öl gut miteinander verbinden. Salzen und pfeffern und noch einmal durchmixen. Alle Spieße damit bestreichen.

4. Die Spieße bei mittlerer Hitze 8–10 Min. grillen; nach der Hälfte der Zeit einmal wenden und mit einem sauberen Pinsel mit der restlichen Glasur bestreichen.

5. In der Zwischenzeit den Joghurt und die Tapenade verrühren und als Dip zusammen mit den Hähnchenspießen servieren. Dazu passt ein griechischer Salat.

Fünf-Gewürze-Hähnchen

Gas indirekt, mittlere Hitze / **Weber® Q™** direkt, niedrige Hitze / **Grillkohle** indirekt
Zubereitungszeit 15 Min. / **Grillzeit** 1¼–1½ Std. / **Für** 4 Personen

1 küchenfertiges Hähnchen (1,5 kg)
1 EL chinesisches Fünf-Gewürze-Pulver (Asia-Laden)
1 unbehandelte Zitrone, in Spalten geschnitten
1 kleines Bund Koriandergrün, zusammengebunden
50 g Butter
2 EL Sojasauce
2 EL trockener Sherry

TIPP

Beilagen oder zusätzliche Füllungen können Sie bequem in einer Aluschale auf dem Rost mitgaren, während das Hähnchen gegrillt wird.

1. Das Hähnchen innen und außen mit dem Fünf-Gewürze-Pulver einreiben. Die Zitronenspalten und das Koriandergrün in die Bauchhöhle füllen. Das Hähnchen mit Küchengarn fest zusammenbinden, damit es beim Grillen seine Form behält.

2. Butter, Sojasauce und Sherry in einem Topf erhitzen und köcheln lassen, bis die Flüssigkeit eingedickt ist. Das Hähnchen großzügig mit der Würzsauce bestreichen und anschließend in einem Bratenkorb indirekt bei mittlerer Hitze (Weber® Q™ direkt bei niedriger Hitze) 1¼ – 1½ Std. grillen, bis beim Einstechen klarer Fleischsaft austritt.

3. Das fertige Hähnchen vorsichtig vom Grill nehmen, mit Alufolie bedecken und 10–15 Min. ruhen lassen, bevor Sie es tranchieren und servieren.

Zimt-Hähnchen

mit spanischer Chorizo gefüllt

Gas indirekt, mittlere Hitze / **Weber® Q™** direkt, niedrige Hitze / **Grillkohle** indirekt
Zubereitungszeit 15 Min. / **Grillzeit** 1–1¼ Std. / **Für** 4 Personen

1 küchenfertiges Hähnchen (1,5 kg)
100 g Koch-Chorizo (spanische Paprikawurst)
1 große Gemüsezwiebel, halbiert
einige große frische Thymianzweige
3 EL Olivenöl
½ TL Zimtpulver
Salz und frisch gemahlener schwarzer Pfeffer

TIPP
Das Hähnchenfleisch wird beim Grillen von dem herrlich würzigen Fett der Chorizo aromatisiert.

1. Zum Füllen die Haut über der Hähnchenbrust vom Fleisch darunter lösen, indem Sie mit den Fingern vorsichtig immer weiter unter die Haut fahren, ohne dass sie reißt. Auf die gleiche Weise lösen Sie die Haut an den Schenkeln.

2. Die Chorizo in dünne Scheiben schneiden und zwischen Haut und Fleisch schieben. Das Brustfleisch und der größte Teil der Schenkel sollten von der Wurst bedeckt sein.

3. Die Zwiebelhälften und die Thymianzweige in die Bauchhöhle füllen. Die Schenkel mit Küchengarn zusammenbinden und die Flügel auf dem Rücken zusammenstecken. Olivenöl und Zimtpulver miteinander vermischen, mit reichlich Salz und Pfeffer würzen und den Vogel ringsum damit bestreichen; Reste aufheben.

4. Das Hähnchen mit Salz und Pfeffer würzen und indirekt bei mittlerer Hitze (Weber® Q™ direkt bei niedriger Hitze) 1–1¼ Std. grillen. Nach der Hälfte der Grillzeit noch einmal mit dem restlichen Zimtöl bestreichen. Das Hähnchen ist gar, wenn beim Einstechen in die dickste Stelle des Schenkels klarer Fleischsaft austritt.

5. Vor dem Tranchieren das Hähnchen 10 Min. ruhen lassen. Dazu passen ein knackiger grüner Salat und frisches, knuspriges Brot.

Kleine spanische Hähnchenspieße

Gas direkt, mittlere Hitze / **Weber® Q™** direkt, mittlere Hitze / **Grillkohle** direkt
Zubereitungszeit 15 Min. + 2 Std. Marinierzeit / **Grillzeit** 8–10 Min. / **Für** 4–6 Personen

1 große Prise Safranfäden
½ TL Koriandersamen
½ TL Kreuzkümmelsamen
½ TL Fenchelsamen
1 TL edelsüßes Paprikapulver
2 große Knoblauchzehen, zerdrückt
2–3 EL grob gehackter frischer Oregano
1 frisches Lorbeerblatt, fein gehackt
2 TL Rotweinessig
2 TL Olivenöl
Salz und frisch gemahlener schwarzer Pfeffer
450 g mageres ausgelöstes Hähnchenfleisch ohne Haut
eingelegte rote Pimientos (spanische Paprikaschoten), zum Servieren

Außerdem:
8 kurze Holz- oder Bambusspieße, 30 Min. gewässert

1. Den Safran in 1 EL kochend heißem Salzwasser einweichen.

2. Koriander-, Kreuzkümmel- und Fenchelsamen in einer kleinen Pfanne ein paar Sekunden trocken erhitzen, bis sie zu duften beginnen; die Pfanne dabei rütteln. Die Gewürze im Mörser zerstoßen und in eine große Schüssel füllen.

3. Den Safran mit dem Einweichwasser, das Paprikapulver, den Knoblauch, den Oregano, das Lorbeerblatt und den Essig dazugeben, das Öl zugießen, salzen und pfeffern und alles gut miteinander vermischen. Das Hähnchenfleisch in mundgerechte, das heißt etwa 2,5 cm große Würfel schneiden und und gründlich mit der Gewürzmischung vermengen. Abgedeckt im Kühlschrank 2 Std. marinieren lassen.

4. Die Fleischwürfel auf die Spieße stecken, mit Salz und Pfeffer würzen. Die Spieße bei mittlerer Hitze 8–10 Min. grillen, dabei einmal wenden. Mit den Pimientos servieren und nach Belieben eiskalten Sherry dazu reichen.

Kokos-Hähnchen-Spieße
mit rotem Reis

Gas direkt, mittlere Hitze / **Weber® Q™** direkt, mittlere Hitze / **Grillkohle** direkt
Zubereitungszeit 20 Min. + 25 Min. Marinierzeit / **Grillzeit** 8–10 Min. / **Für** 4 Personen

4 Hähnchenbrustfilets, je etwa 180 g, in 2,5 cm große Würfel geschnitten
Öl, zum Bestreichen

Für die Marinade:
250 ml Kokosmilch
1 milde rote Chilischote, Samen entfernt, in Ringe geschnitten
abgeriebene Schale und Saft von 1 unbehandelten Limette
1 Knoblauchzehe, zerdrückt
1 gut walnussgroßes Stück frischer Ingwer, geschält und gerieben

Für den Reis:
250 g roter Naturreis
2 EL gehacktes Koriandergrün
Salz und frisch gemahlener schwarzer Pfeffer

Außerdem:
12 Holzspieße, 30 Min. gewässert

1. Die Zutaten für die Marinade gründlich verrühren und die Marinade in eine flache Schüssel füllen. Das Hähnchenfleisch hineinlegen, gut vermischen und abgedeckt 25 Min. kalt stellen.

2. Die Marinade abgießen (sie wird nicht mehr benötigt) und die Hähnchenwürfel zu gleichen Teilen auf die Spieße stecken.

3. Die Spieße mit Öl bestreichen und bei mittlerer Hitze 8–10 Min. grillen, bis das Fleisch durchgegart ist, dabei einmal wenden.

4. In der Zwischenzeit den Reis gemäß der Packungsanweisung zubereiten. Das Koriandergrün unter den gegarten Reis mischen und mit Salz und Pfeffer würzen. Den Reis auf vier Tellern anrichten, je 3 Hähnchenspieße darauflegen und servieren.

Knuspriges Orangen-Hähnchen

Gas indirekt, mittlere Hitze / **Weber® Q™** direkt, niedrige Hitze / **Grillkohle** indirekt
Zubereitungszeit 10 Min. + 1 Std. Marinierzeit / **Grillzeit** 40–50 Min. / **Für** 4 Personen

4 Hähnchenschenkel, je etwa 250 g
1 EL Orangenmarmelade mit grob geschnittener Schale, verflüssigt
50 g Butter, zerlassen
1 EL Hoisin-Sauce (Asia-Laden)
4 EL frisch gepresster Orangensaft
Öl, zum Bestreichen

1. Von den Hähnchenschenkeln das überschüssige Fett entfernen. Das Fleisch an ein paar Stellen tief einschneiden und die Schenkel nebeneinander in eine große nichtmetallene Schüssel legen. Marmelade, Butter, Hoisin-Sauce und Orangensaft vermischen und die Schenkel auf beiden Seiten damit bestreichen. Abgedeckt 1 Std. im Kühlschrank marinieren.

2. Die Hähnchenschenkel aus der Marinade nehmen und mit Öl einpinseln. Mit der Fleischseite nach oben indirekt bei mittlerer Hitze 20 Min. grillen (Weber® Q™ 15–20 Min. direkt bei niedriger Hitze). Wenden und weitere 20–25 Min. grillen (Weber® Q™ 15–20 Min.). Am Ende muss das Fleisch zart sein und beim Einstechen klarer Fleischsaft austreten.

3. Vor dem Servieren 5 Min. abgedeckt ruhen lassen.

Spanish Sizzler

3 kleine Kugeln Zitronensorbet
Spanischer Schaumwein (Cava)

Das Sorbet in ein geeistes Kelchglas geben und mit Schaumwein auffüllen. Mit einem Dessertlöffel servieren.

Hähnchenbrustfilets mit Käse
im Speckmantel

Gas direkt, mittlere Hitze / **Weber® Q™** direkt, mittlere Hitze / **Grillkohle** direkt
Zubereitungszeit 15 Min. / **Grillzeit** 12–16 Min. / **Für** 4 Personen

4 Hähnchenbrustfilets, je 150–180 g
4 dicke Scheiben Cheddar-Käse, je etwa 15 g
1 EL frische Schnittlauchröllchen
frisch gemahlener schwarzer Pfeffer
8 nicht zu dünne Scheiben Frühstücksspeck (Bacon)
Öl, zum Bestreichen

Außerdem:
4 Holzspieße

TIPP
Halten Sie aus hygienischen Gründen rohe und gegarte Zutaten immer getrennt voneinander.

1. Die Holzspieße 30 Min. in kaltem Wasser einweichen.

2. In jede Hähnchenbrust mit einem sehr scharfen Messer vorsichtig einen waagrechten Schlitz in die Seite schneiden, groß genug, dass Sie ihn mit je 1 Scheibe Käse, Schnittlauchröllchen und etwas Pfeffer füllen können.

3. Die Hähnchenbrüste mit je 2 Scheiben Speck umwickeln und so auf je 1 Spieß stecken, dass der Speck fixiert ist.

4. Die Spieße mit Öl bestreichen und bei mittlerer Hitze 12–16 Min. grillen, bis das Fleisch durchgegart ist, dabei einmal wenden. Vom Grill nehmen, mit Alufolie bedecken und vor dem Servieren 5 Min. ruhen lassen.

Hähnchen-Sandwich
mit Harissa

Gas direkt, mittlere Hitze / **Weber® Q™** direkt, mittlere Hitze / **Grillkohle** direkt
Zubereitungszeit 10 Min. + 1 Std. Marinierzeit / **Grillzeit** 10–12 Min. / **Für** 4 Personen

1 Ciabatta-Brot
4 Hähnchenbrustfilets, je etwa 180 g
6 EL Olivenöl
Saft von 1 Limette
1 EL gehacktes Koriandergrün
2 Hand voll Rucola, gewaschen und abgetropft, zum Garnieren
rote Zwiebelringe, zum Garnieren
Limettenspalten, zum Servieren

Für die Marinade:
abgeriebene Schale und Saft von 1 unbehandelten Limette
2 TL Harissa (orientalische Würzpaste)
2 EL Olivenöl

1. Die Ciabatta quer halbieren und jede Hälfte vierteln, so dass Sie insgesamt 8 Stücke erhalten.

2. Die Hähnchenbrüste mit einem scharfen Messer mehrmals einschneiden, damit die Marinade ins Fleisch eindringen kann. In einer flachen Schüssel, die nicht aus Metall sein darf, nebeneinander legen.

3. Für die Marinade die Zutaten gründlich verrühren. Das Fleisch auf beiden Seiten damit bestreichen und abgedeckt 1 Std. im Kühlschrank marinieren lassen.

4. Die Hähnchenbrüste aus der Marinade nehmen und abtropfen lassen (die Marinade wird nicht mehr benötigt). Bei mittlerer Hitze 10–12 Min. grillen, bis das Fleisch durchgegart ist, dabei einmal wenden.

5. Die Brotstücke mit ein wenig Olivenöl bestreichen und jede Seite bei mittlerer Hitze 2 Min. grillen.

6. Die Hähnchenbrüste auf je 1 Ciabatta-Scheibe legen. Das restliche Olivenöl, den Limettensaft und das Koriandergrün vermischen und über das Fleisch träufeln. Mit Rucola und Zwiebelringen garnieren, eine zweite Brotscheibe darauflegen und mit Limettenspalten sofort servieren.

Kräuterwürzige Stubenküken

Gas indirekt, mittlere Hitze / **Weber® Q™** direkt, niedrige Hitze / **Grillkohle** indirekt
Zubereitungszeit 20 Min. / **Grillzeit** 40–50 Min. / **Für** 2 Personen

2 küchenfertige Stubenküken
50 g Butter
2 Knoblauchzehen, zerdrückt
3 EL gehackte frische Kräuter, z. B. Estragon, Majoran und Petersilie
Salz und frisch gemahlener schwarzer Pfeffer

Außerdem:
4 Metallspieße

1. Die Stubenküken mit der Brustseite nach unten auf ein Schneidbrett legen. Mit einer Geflügelschere oder scharfen Küchenschere an beiden Seiten des Rückgrats entlangschneiden und das Rückgrat entfernen. Die Küken auseinander klappen und mit der Hand flach drücken. Jedes Küken mit 2 Spießen diagonal durchstechen (jeweils vom Flügel zur Keule der gegenüberliegenden Seite), so dass sich die Spieße in der Mitte kreuzen.

2. In einem kleinen Topf die Butter zerlassen. Den Knoblauch und die Kräuter hineinrühren, salzen und pfeffern. Die Küken auf beiden Seiten mit der Kräuterbutter bestreichen.

3. Die Stubenküken mit der Brustseite nach oben indirekt bei mittlerer Hitze (Weber® Q™ direkt bei niedriger Hitze) 25 Min. grillen, dann wenden und weitere 15–25 Min. grillen. Wenn beim Einstechen in den dicksten Teil des Schenkels klarer Fleischsaft austritt, sind die Küken fertig.

4. Dazu passt ein frischer Salat aus Tomaten und Kräutern.

TIPP

Geflügel auf diese Weise vorzubereiten dauert zwar ein paar Minuten länger, verkürzt aber die Grillzeit.

Putenschnitzel
mit Erdnuss-Ingwer-Dressing

Gas direkt, mittlere Hitze / **Weber® Q™** direkt, mittlere Hitze / **Grillkohle** direkt
Zubereitungszeit 20 Min. / **Grillzeit** 5–7 Min. / **Für** 4 Personen

4 Putenschnitzel, je 5–10 mm dick
Olivenöl, zum Bestreichen
grüner Salat, zum Servieren

Für das Dressing:
2 EL Sesamöl
1 kleine Zwiebel, fein gehackt
1 milde rote Chilischote, Samen entfernt, fein gehackt
1 Knoblauchzehe, zerdrückt
1 walnussgroßes Stück frischer Ingwer, geschält und fein gehackt
75 g gesalzene Erdnüsse
300 ml Hühnerbrühe

1. Für das Dressing das Sesamöl in einem Topf erhitzen, Zwiebel, Chili, Knoblauch und Ingwer hinzufügen und in etwa 5 Min. weich dünsten, aber keine Farbe annehmen lassen. Behutsam die Erdnüsse einrühren und 3 Min. mitdünsten. Die Brühe zugießen, zum Kochen bringen und 2–3 Min. köcheln lassen.

2. Vom Herd nehmen und den Topfinhalt in der Küchenmaschine oder mit dem Pürierstab zu einer dicken, glatten Sauce verarbeiten. Abkühlen lassen.

3. Die Schnitzel auf beiden Seiten mit dem Olivenöl bestreichen und bei mittlerer Hitze 3–4 Min. grillen. Wenden und 2–3 Min. weitergrillen, bis sie durchgegart und zart sind.

4. Die Schnitzel in Scheiben schneiden und auf einer Servierplatte mit Salatblättern anrichten. Mit dem Erdnuss-Ingwer-Dressing in einer Extraschale servieren.

Putensteaks mit Chermoula

Gas direkt, mittlere Hitze / **Weber® Q™** direkt, mittlere Hitze / **Grillkohle** direkt
Zubereitungszeit 10 Min. + 20 Min. Marinierzeit / **Grillzeit** 8–10 Min. / **Für** 4 Personen

4 Putensteaks (Brustfleisch), je etwa 125 g

Für die Chermoula:

1 kleines Bund frische glatte Petersilie, die Blätter abgezupft
1 kleines Bund Koriandergrün, die Blätter abgezupft
6 EL Olivenöl
Saft von 1 Zitrone
2 große Knoblauchzehen
1 TL Paprikapulver
1 TL gemahlener Kreuzkümmel
¼ TL Salz

1. Die Putensteaks in eine große Schüssel legen. Die Zutaten für die Chermoula in der Küchenmaschine zu einer Paste verarbeiten und die Steaks auf beiden Seiten großzügig damit einreiben. Mit Frischhaltefolie abgedeckt 20 Min. im Kühlschrank durchziehen lassen; so wird das Fleisch herrlich aromatisiert.

2. Die Steaks bei mittlerer Hitze 8–10 Min. durchgrillen (die Garzeit ist abhängig von der Dicke der Steaks), dabei einmal wenden. Vor dem Servieren 5 Min. mit Alufolie bedeckt ruhen lassen.

TIPP

Zu Hähnchen oder Pute passen auch die Aromen von Estragon, Basilikum, Thymian, Rosmarin, Ingwer, Chili, Safran und Sherry sehr gut.

Puten-Kebabs Tikka Masala

Gas direkt, mittlere Hitze / **Weber® Q™** direkt, mittlere Hitze / **Grillkohle** direkt
Zubereitungszeit 15 Min. + 30 Min. Marinierzeit / **Grillzeit** 8–12 Min. / **Für** 6 Personen

2 rote Paprikaschoten
600 g Putenbrustfilet, in 2,5 cm große Würfel geschnitten
1 Glas Tikka-Masala-Sauce (etwa 400 g, aus dem Asia-Laden)
Öl, zum Bestreichen

Außerdem:
6 Metallspieße

1. Die Paprikaschoten waschen, halbieren, den Stielansatz und die Samen entfernen, und die Schoten in große Stücke schneiden. Zusammen mit den Fleischwürfeln in eine flache Schüssel geben. Die Tikka-Masala-Sauce darübergießen und alles gut durchmischen. Mit Frischhaltefolie bedeckt 30 Min. im Kühlschrank einziehen lassen.

2. Fleisch und Paprika abwechselnd auf die Metallspieße stecken (die restliche Sauce wird nicht mehr benötigt). Die Spieße mit Öl bestreichen und bei mittlerer Hitze 8–12 Min. grillen, bis das Fleisch durchgegart ist, nach der Hälfte der Zeit einmal wenden.

TIPP

Hähnchen und Pute eignen sich hervorragend zum Grillen an Spießen, da beide sehr mageres Fleisch haben, das schnell gar wird.

Ente auf chinesische Art

Gas direkt, niedrige Hitze / **Weber® Q™** direkt, niedrige Hitze / **Grillkohle** direkt
Zubereitungszeit 15 Min. + 2 Std. Marinierzeit / **Grillzeit** 13–19 Min. / **Für** 4 Personen

4 ausgelöste Entenbrüste, je 250–300 g und 1,5 cm dick

Für die Marinade:
2 EL Sojasauce
4 EL Hoisin-Sauce (Asia-Laden)
1 EL scharfe chinesische Chilisauce
2 Knoblauchzehen, zerdrückt
1 walnussgroßes Stück frischer Ingwer, geschält und gerieben

1. Mit einem scharfen Messer die fettreiche Hautpartie der Entenbrüste 3 mm tief rautenförmig einschneiden und alles überschüssige Fett abschneiden – durch die Einschnitte kann das Fett später beim Grillen gut abtropfen. Die Entenbrüste nebeneinander in eine flache nichtmetallene Schüssel legen.

2. Die Zutaten für die Marinade vermischen und die Marinade über das Fleisch gießen. Das Fleisch wenden, damit es auf allen Seiten gut mit ihr überzogen ist. Abgedeckt 2 Std. in den Kühlschrank stellen.

3. Die Entenbrüste aus der Marinade nehmen und abtropfen lassen (die Marinade wird nicht mehr gebraucht). Mit der Hautseite nach unten bei niedriger Hitze 7–8 Min. grillen, bis sie goldbraun ist, dann wenden und weitergrillen: 6–7 Min., wenn das Fleisch in der Mitte noch rosa sein soll, 9–11 Min., wenn Sie es durchgebraten wollen.

4. Vor dem Servieren 5 Min. mit Alufolie bedeckt ruhen lassen.

TIPP

Das herabtropfende Fett der Entenbrust kann beim Grillen zum Aufflammen der Glut führen. Behalten Sie deshalb in den ersten 5–6 Min. das Fleisch besonders gut im Auge.

Ganze Ente vom Grill
mit Artischocken und Oliven gefüllt

Gas indirekt, mittlere Hitze / **Weber® Q™** direkt, niedrige Hitze / **Grillkohle** indirekt
Zubereitungszeit 25 Min. / **Grillzeit** 2 Std. / **Für** 4 Personen

1 küchenfertige Ente, etwa 1,8 kg
2 Schalotten, fein gehackt
2 große Knoblauchzehen, zerdrückt
1 EL frische Thymianspitzen
1 EL grob gehackter Rosmarin
1 Dose Artischockenherzen (240 g Abtropfgewicht), abgegossen und abgespült
100 g große grüne Oliven, entsteint
100 g altbackenes Weißbrot ohne Rinde
Salz und frisch gemahlener schwarzer Pfeffer

Außerdem:
1 kleiner Metallspieß

1. Die Innereien entfernen, sie werden nicht verwendet. Überschüssiges Fett, vor allem an der Öffnung der Bauchhöhle, von der Ente abschneiden und aufbewahren.

2. In einem kleinen Topf so viel Entenfett zerlassen, dass Sie etwa 1 EL flüssiges Fett gewinnen, den Rest wegwerfen. Schalotten und Knoblauch darin in 3–4 Min. weich dünsten. Die Kräuter dazugeben und 1 Min. mitdünsten. In eine große Schüssel umfüllen und abkühlen lassen.

3. Die Artischocken vierteln und mit den Oliven in die Schüssel geben. Das Brot in 1,5 cm große Würfel schneiden und ebenfalls in die Schüssel geben. Reichlich salzen und pfeffern und alle Zutaten gut vermischen. Die Bauchhöhle mit der Artischocken-Oliven-Masse füllen und die Haut an der Öffnung mit einem kleinen Metallspieß feststecken. Die Ente großzügig salzen und pfeffern.

4. Die Ente mit der Brustseite nach unten in einen Bratenkorb legen, den Sie in eine stabile Grillschale stellen. Indirekt bei mittlerer Hitze (Weber® Q™ direkt bei niedriger Hitze) 2 Std. grillen, nach 1 Std. die Brustseite nach oben wenden.

5. Vor dem Tranchieren die Ente 20 Min. ruhen lassen. Die Füllung zu dem in Scheiben geschnittenen Fleisch servieren.

Gans
mit Apfel-Walnuss-Sauce

Gas indirekt, mittlere Hitze / **Grillkohle** indirekt / **Zubereitungszeit** 20 Min.
Grillzeit 3 Std. / **Für** 4–6 Personen

1 küchenfertige Gans, 4,5–5,5 kg
Salz und frisch gemahlener schwarzer Pfeffer
2 unbehandelte Orangen
2–3 frische Thymianzweige

Für die Sauce:
100 g getrocknete Apfelringe, grob gehackt
Saft von 2 Orangen
3 EL Calvados
50 g Walnusskerne, grob gehackt

TIPP
Gänse sind überaus fette Tiere, darum ist es wichtig, die großen Mengen Fett, die beim Grillen austreten, mindestens zwei- bis dreimal abzugießen.

1. Die Gans innen mit Salz und Pfeffer einreiben. Die Orangen halbieren und mit den Thymianzweigen in die Bauchhöhle stecken. Die Haut mit einem Spieß rundherum mehrmals einstechen, damit beim Grillen das Fett austreten kann; salzen und pfeffern. Die Schenkel und Flügel mit Alufolie umwickeln. Die Gans in einen Bratenkorb legen, den Sie in eine stabile Grillschale oder in einen Bräter stellen.

2. Indirekt bei mittlerer Hitze etwa 3 Std. grillen, dabei alle 30 Min. das herabgetropfte Fett aus der Grillschale oder dem Bräter abgießen.

3. Während die Gans brät, die Apfelsauce zubereiten: Die getrockneten Apfelringe mit 350 ml Wasser in einen Topf geben, einen Deckel aufsetzen und zum Kochen bringen. Die Hitze reduzieren und 20–25 Min. köcheln lassen, bis die Äpfel sehr weich sind. Den Deckel abnehmen und das restliche Wasser komplett verkochen lassen. Die Äpfel mit dem Orangensaft und dem Calvados in die Küchenmaschine füllen und zu einer glatten Sauce pürieren. Die Walnüsse einrühren.

4. Die Gans vom Grill nehmen, das Fett aus dem Bräter abgießen und die Folie von Schenkeln und Flügeln entfernen. Die Gans mit Alufolie abdecken und 15 Min. ruhen lassen. Mit der warmen Apfel-Walnuss-Sauce servieren.

KAPITEL 4

Fleisch

Lamm-Burger
mit Paprika-Salsa

Gas direkt, mittlere Hitze / **Weber® Q™** direkt, mittlere Hitze / **Grillkohle** direkt
Zubereitungszeit 25 Min. / **Grillzeit** 12–16 Min. / **Für** 4 Personen

500 g mageres Hackfleisch vom Lamm
1 Schalotte, sehr fein gehackt
1 Ei
2 Knoblauchzehen, zerdrückt
Salz und frisch gemahlener schwarzer Pfeffer
4 Burger-Brötchen
Salatblätter und Tomatenscheiben, zum Servieren

Für die Salsa:

1 Dose eingelegte rote Pimientos (spanische Paprikaschoten, 250 g Abtropfgewicht), abgetropft und fein gehackt
1 Knoblauchzehe, zerdrückt
1 kleine milde rote Chilischote, Samen entfernt, fein gehackt
2 EL Olivenöl

1. Das Hackfleisch, die Schalotte, das Ei, die beiden Knoblauchzehen sowie Salz und Pfeffer in einer großen Schüssel gründlich vermengen.

2. Aus der Fleischmischung mit den Händen 4 nicht zu dünne Hamburger formen. Bei mittlerer Hitze 12–16 Min. grillen, bis das Fleisch durchgebraten ist; dabei einmal wenden.

3. Für die Salsa in einer kleinen Schüssel Paprikaschoten, Knoblauch und Chili vermischen. Das Öl einrühren und mit Salz und Pfeffer abschmecken.

4. Die Brötchen aufschneiden und 1 Min. bei mittlerer Hitze auf dem Grill rösten. Auf jeden Brötchenboden 1 Lamm-Burger legen, darauf einen Klecks Salsa geben und mit der anderen Brötchenhälfte bedecken. Mit Salatblättern und Tomatenscheiben anrichten und servieren.

Lamm-Kebabs
mit Kokos-Curry-Aroma

Gas indirekt, mittlere Hitze / **Weber® Q™** direkt, niedrige Hitze / **Grillkohle** indirekt
Zubereitungszeit 25 Min. + 24 Std. Marinierzeit / **Grillzeit** 6–8 Min. / **Ergibt** 16 Stück

900 g ausgelöste Lammkeule, überschüssiges Fett entfernt
zerlassene Butter, zum Bestreichen
16 große Blätter Eisbergsalat, zum Servieren
3 EL fein gehackte frische Minze, zum Servieren

Für die Marinade:
2 EL Erdnussöl
3 Knoblauchzehen, zerdrückt
1 TL rote Currypaste (Asia-Laden), ersatzweise 1 EL scharfes Currypulver
2 EL Sojasauce
225 ml Kokosmilch
Salz und frisch gemahlener schwarzer Pfeffer

Außerdem:
8 Metallspieße

1. Für die Marinade das Erdnussöl erhitzen und den Knoblauch darin unter Rühren mit einem Holzlöffel in 3 Min. weich dünsten. Currypaste oder -pulver und Sojasauce hinzufügen und alles 2 Min. köcheln lassen. Die Kokosmilch dazugießen, umrühren, mit Salz und Pfeffer abschmecken und zum Kochen bringen. Vom Herd nehmen und auf Zimmertemperatur abkühlen lassen.

2. Das Lammfleisch in etwa 2,5 cm große Würfel schneiden, mit der Marinade vermischen und mit Frischhaltefolie abgedeckt für 24 Std. in den Kühlschrank stellen.

3. Kurz bevor das Fleisch auf den Grill kommt, die Marinade vom Fleisch abtropfen lassen und die Fleischwürfel auf die Metallspieße stecken.

4. Die Lammspieße indirekt bei mittlerer Hitze (Weber® Q™ direkt bei niedriger Hitze) grillen, dabei einmal wenden. Nach 6–8 Min. ist das Fleisch knapp medium, wenn Sie es gut durchgebraten möchten, braucht es einige Minuten länger. Während des Grillens zwei- bis dreimal mit der Butter bestreichen.

5. Zum Servieren die Metallspieße herausziehen, das Fleisch auf den Salatblättern anrichten, mit der Minze bestreuen und zu Päckchen zusammenfalten.

Lammkoteletts
mit Joghurt-Gurken-Dip

Gas direkt, mittlere Hitze / **Weber® Q™** direkt, mittlere Hitze / **Grillkohle** direkt
Zubereitungszeit 25 Min. / **Grillzeit** 8–12 Min. / **Für** 4 Personen

2 Knoblauchzehen, zerdrückt
2 EL Olivenöl
2 EL gehackter frischer Rosmarin
Salz und frisch gemahlener schwarzer Pfeffer
12 Lammkoteletts

Für den Dip:
150 g griechischer Naturjoghurt
1 fingerlanges Stück Gurke, halbiert, Samen entfernt, gehackt
2 EL gehackte frische Minze

1. Den Knoblauch mit dem Öl und dem Rosmarin vermischen, mit Salz und Pfeffer würzen. Überschüssiges Fett von den Koteletts abschneiden und das Fleisch auf beiden Seiten mit der Würzmischung bestreichen.

2. Die Koteletts bei mittlerer Hitze auf jeder Seite 4–6 Min. grillen. Vom Grill nehmen und sorgfältig mit Alufolie bedeckt 5–10 Min. nachziehen lassen.

3. Für den Dip den Joghurt in einer Schüssel mit der Gurke und der Minze verrühren und zu den Koteletts servieren.

TIPP

Frische Kräuter wie Rosmarin, Thymian oder Schnittlauch sollten Sie in Töpfen stets zur Hand haben. Wenn Sie kurz vor dem Grillen von Lamm z. B. etwas Rosmarin in die Glut geben, nimmt das Fleisch ein herrliches Aroma an.

Tandoori-Lammspieße

Gas indirekt, mittlere Hitze / **Weber® Q™** direkt, niedrige Hitze / **Grillkohle** indirekt
Zubereitungszeit 15 Min. + 24 Std. Marinierzeit / **Grillzeit** 6–8 Min. / **Für** 8 Personen

900 g ausgelöste Lammschulter, überschüssiges Fett entfernt
8 indische Naan-Brote, je 10 cm Durchmesser (Asia-Laden)
2 EL zerlassene Butter
8 EL süßes Chutney (aus dem Asia-Laden oder selbst gemacht), zum Servieren
grobes Meersalz

Für die Marinade:
1000 g Naturjoghurt
3 EL Zitronensaft
3 Knoblauchzehen, grob gehackt
4 EL Garam Masala (indische Gewürzmischung)

Außerdem:
8 Metallspieße

1. Für die Marinade alle Zutaten zu einer cremigen Masse vermixen.

2. Das Lammfleisch in etwa 2,5 cm große Würfel schneiden und in einer großen flachen Schüssel mit der Marinade übergießen. Gut durchmischen, die Schüssel mit Frischhaltefolie abdecken und 24 Std. kalt stellen.

3. Kurz bevor das Fleisch auf den Grill kommt, die Marinade vom Fleisch abschütteln (sie wird nicht mehr verwendet) und die Fleischwürfel auf die Metallspieße stecken.

4. Zunächst je 4 Naan-Brote in Alufolie schlagen und auf dem Grill indirekt bei mittlerer Hitze (Weber® Q™ direkt bei niedriger Hitze) 4 Min. durchwärmen. Die Brote auspacken, halbieren und warm halten.

5. Anschließend die Lammspieße indirekt bei mittlerer Hitze (Weber® Q™ direkt bei niedriger Hitze) grillen, dabei einmal wenden. Nach 6–8 Min. ist das Fleisch knapp medium. Es braucht einige Minuten länger, wenn es durchgebraten sein soll. Während des Grillens zwei- bis dreimal mit der Butter bestreichen.

6. Die Spieße auf einer Servierplatte um eine Schüssel mit Chutney herum anrichten, mit Meersalz bestreuen und mit den warmen Naan-Broten servieren. Die Gäste können sich nach Belieben die Brote mit Fleisch und Chutney füllen.

Lamm-Rosetten
mit Sardellen-Speck-Paste

Gas direkt, mittlere Hitze / **Weber® Q™** direkt, mittlere Hitze / **Grillkohle** direkt
Zubereitungszeit 35 Min. / **Grillzeit** 10 Min. / **Für** 4 Personen

50 g hauchdünn geschnittene Pancetta oder Frühstücksspeck (Bacon)
6 in Olivenöl eingelegte Sardellenfilets, abgetropft
2 EL gehackte frische glatte Petersilie
2 große Knoblauchzehen, zerdrückt
1 EL Aceto balsamico
8 große Lendenkoteletts vom Lamm
Olivenöl, zum Bestreichen
Salz und frisch gemahlener schwarzer Pfeffer

Außerdem:
8 Cocktailspieße

1. Speck, Sardellenfilets, Petersilie, Knoblauch und Essig in der Küchenmaschine zu einer Paste verarbeiten. Beiseite stellen.

2. Für die Lamm-Rosetten von den Koteletts das überschüssige Fett bis auf eine dünne Schicht abschneiden. Bei jedem Kotelett mit einem scharfen Messer eng um den Knochen herumschneiden und ihn entfernen. Sie erhalten ein annähernd rundes Stück Fleisch, an dem seitlich ein länglicher Fleischstreifen hängt. Schneiden Sie seitlich so tief in das Kotelett ein, dass eine Tasche entsteht, und füllen Sie sie mit etwas von der Pancetta-Sardellen-Mischung. Wickeln Sie den länglichen Fleischstreifen um das Kotelett, so dass die Öffnung verschlossen ist, und stecken Sie ihn mit einem kleinen Spieß fest. (Wenn Sie Holzspieße verwenden, weichen Sie sie vorher mindestens 30 Min. in kaltem Wasser ein.)

3. Die Lamm-Rosetten mit etwas Öl bestreichen und mit reichlich Salz und Pfeffer würzen. Bei mittlerer Hitze 8–10 Min. grillen, dabei einmal wenden. Wenn Sie das Fleisch gut durchgebraten möchten, braucht es auf jeder Seite 1–2 Min. länger. Dazu passt ein frischer Salat aus Bohnen und Tomaten.

Rindfleisch-Kartoffel-Salat
mit Essiggürkchen

Gas direkt, mittlere Hitze / **Weber® Q™** direkt, mittlere Hitze / **Grillkohle** direkt
Zubereitungszeit 35 Min. + 1 Std. Marinierzeit / **Grillzeit** 16–24 Min. / **Für** 4 Personen

700 g fest kochende neue Kartoffeln, abgebürstet
1 kleine rote Zwiebel, in dünne Ringe geschnitten
250 g Cocktailtomaten, halbiert
3 EL Olivenöl
2 TL Meerrettich, frisch gerieben oder aus dem Glas
1 TL Dijon-Senf
700 g Rinderfilet oder Lende
4 kleine Salatherzen, die Blätter grob zerpflückt
20 Essiggürkchen (Cornichons), längs halbiert

Für die Vinaigrette:
6 EL Olivenöl
2 EL Rotweinessig
1 große Prise Zucker
Salz und frisch gemahlener schwarzer Pfeffer

1. Die Kartoffeln in kochendem Salzwasser in 15–20 Min. weich garen. Abgießen und gut abtropfen lassen.

2. In der Zwischenzeit für die Vinaigrette Olivenöl, Essig, Zucker und etwas Salz und Pfeffer gründlich verschlagen. Die noch heißen Kartoffeln vierteln und in einer großen Schüssel mit der Vinaigrette übergießen. Abkühlen lassen. Zwiebelringe und Tomaten untermischen und alles 1 Std. ziehen lassen, damit sich die Aromen verbinden.

3. Öl, Meerrettich und Senf verrühren, salzen und pfeffern und das Fleisch damit bestreichen. Den Rest aufbewahren.

4. Das Fleisch bei mittlerer Hitze 4–5 Min. grillen, wenden, mit der Meerrettich-Mischung bestreichen und 4–5 Min. weitergrillen. Erneut bestreichen und 2–3 Min. weitergrillen. Abermals wenden, mit der Mischung bestreichen und abschließend nochmals 2–3 Min. grillen. Wenn Sie das Fleisch gut durchgebraten wünschen, verlängert sich die Grillzeit um 5–8 Min. Vor dem Aufschneiden 10 Min. ruhen lassen.

5. Die Salatblätter zu den Kartoffeln geben und untermischen. Die Gürkchen darüberstreuen. Das Fleisch in dünne Scheiben schneiden und unter den Salat mischen. Servieren, solange das Fleisch noch warm ist.

Würziges Hackfleisch-Kebab

Gas direkt, starke Hitze / **Weber® Q™** direkt, starke Hitze / **Grillkohle** direkt
Zubereitungszeit 25 Min. + 1 Std. Kühlzeit / **Grillzeit** 10–12 Min. / **Ergibt** 8 Stück

900 g mageres Hackfleisch vom Rind
Olivenöl
grobes Meersalz
8 Pita-Brote

Für die Würzmischung:
1 Zwiebel, fein gehackt
1 kleine Hand voll frische Minzeblätter, fein gehackt
2 TL gemahlener Kreuzkümmel
2 TL gemahlener Koriander
1 TL zerstoßene schwarze Pfefferkörner
½ TL Cayennepfeffer

Außerdem:
8 Holzspieße, 30 Min. gewässert

1. Für die Würzmischung alle Zutaten in einer großen Schüssel gut miteinander vermengen.

2. Das Hackfleisch hinzufügen und die Würzmischung gleichmäßig unter das Fleisch kneten. Mit angefeuchteten Hände 8 gleich große Fleischbälle formen.

3. Die Spieße mit Öl bestreichen und je 1 Spieß durch die Mitte von 1 Fleischball stechen. Mit den Händen die Fleischbälle um die Spieße herum zu länglichen Würsten formen, die gut 10 cm lang und etwa 2,5 cm breit sind. Mit Frischhaltefolie abdecken und 1 Std. kalt stellen.

4. Jeweils eine doppelte Lage Alufolie an die Stelle direkt auf dem Rost platzieren, auf der die freien Enden der Spieße liegen werden – so können sie nicht verbrennen. Das Fleisch mit Öl bestreichen und bei starker Hitze in 6–8 Min. durchgrillen, nach der Hälfte der Zeit wenden.

5. In der Zwischenzeit von jedem Pita-Brot das obere Stück abbrechen, so dass man sie füllen kann. Jeweils 2 Brote in Alufolie einschlagen und bei starker Hitze in 4 Min. durchwärmen.

6. Zum Servieren die Spieße herausziehen und die Brote mit den Hackfleisch-Kebabs füllen. Legen Sie nach Belieben noch dünne Zwiebelringe, Tomaten und fein geschnittene Salatblätter darauf; auch Tsatsiki passt gut dazu.

Saftige Steaks
mit Kräuterbutter

Gas direkt, starke Hitze / **Weber® Q™** direkt, starke Hitze / **Grillkohle** direkt
Zubereitungszeit 15 Min. + Kühlzeit für die Butter / **Grillzeit** 2 cm dick: 6–8 Min.; 2,5 cm dick: 8–10 Min. / **Für** 4 Personen

50 g weiche Butter
30 g Kräuterfrischkäse mit Knoblauch
1 EL gehackte frische glatte Petersilie
Salz und frisch gemahlener schwarzer Pfeffer
4 Rinderfiletsteaks, je 200 g und 2–2,5 cm dick
1–2 EL Olivenöl
250 g grüner Spargel, nur die Spitzen blanchiert und abgetropft
16 Cocktailtomaten an der Rispe

1. Butter, Frischkäse und Petersilie mixen, mit Salz und Pfeffer würzen. In einer Lage Frischhaltefolie zu einer Rolle formen und im Kühlschrank so fest werden lassen, dass Sie die Butterrolle in 4 dicke Scheiben schneiden können.

2. Die Steaks salzen und pfeffern, leicht mit Olivenöl bestreichen und bei starker Hitze auf jeder Seite 3–5 Min. (je nach Dicke der Steaks) grillen.

3. Das Fleisch vom Grill nehmen, auf jedes Steak 1 Scheibe Kräuterbutter legen und die Steaks mit Alufolie bedecken. 5 Min. ruhen lassen, damit sich der Fleischsaft verteilen (und das Aroma intensivieren) kann und die Butter schmilzt.

4. Die Spargelspitzen und Tomaten mit Olivenöl beträufeln und auf jeder Seite ein paar Minuten grillen. Mit Salz und Pfeffer abschmecken. Die Steaks mit je 4 Tomaten und einigen Spargelspitzen anrichten und servieren.

Steaks und Pilze vom Grill
mit Roquefort-Sauce

Gas direkt, mittlere Hitze / **Weber® Q™** direkt, mittlere Hitze / **Grillkohle** direkt
Zubereitungszeit 15 Min. / **Grillzeit** 25 Min. / **Für** 4 Personen

6 EL Olivenöl
1 TL gehackter frischer Rosmarin
1 TL gehackter frischer Thymian
4 Riesenchampignons, gut 12 cm Hutdurchmesser, geputzt, Stiele entfernt
Salz und frisch gemahlener schwarzer Pfeffer
4 Rinderfiletsteaks, je etwa 180–200 g

Für die Roquefort-Sauce:
3 EL Butter
1 Schalotte, fein gehackt
1 große Knoblauchzehe, zerdrückt
250 g Roquefort-Käse
4 EL Crème fraîche
2 EL gehackte frische glatte Petersilie

1. Für die Roquefort-Sauce die Butter in einem kleinen Topf bei mittlerer Hitze zerlassen und die Schalotte und den Knoblauch darin in 3–4 Min. weich dünsten. Den Roquefort zerbröckeln und bei niedriger Hitze mit dem Schneebesen in die Butter einrühren, bis der gesamte Käse geschmolzen ist. Anschließend die Crème fraîche unterrühren, zuletzt die Petersilie. Vom Herd nehmen und beiseite stellen.

2. Das Olivenöl mit dem Rosmarin und dem Thymian vermischen. Die Hutseite der Pilze damit bestreichen, salzen und pfeffern. Die Pilze bei mittlerer Hitze 12–15 Min. grillen, nach der Hälfte der Zeit wenden und noch einmal mit Öl bestreichen. Die gegrillten Pilze warm halten.

3. Die Steaks auf beiden Seiten mit dem restlichen Kräuteröl bestreichen, salzen und pfeffern und bei mittlerer Hitze 8–10 Min. grillen, dabei einmal wenden. Für gut durchgebratenes Fleisch 1–2 Min. pro Seite länger grillen.

4. Die Roquefort-Sauce erwärmen. Auf jeden Pilz ein Steak legen, die Käsesauce darübergießen und servieren.

Knoblauch-Senf-Steak
in Baguette

Gas direkt, starke Hitze / **Weber® Q™** direkt, starke Hitze / **Grillkohle** direkt
Zubereitungszeit 10 Min. / **Grillzeit** 8 Min. / **Für** 4 Personen

3 große Knoblauchzehen, zerdrückt
1 EL Olivenöl
2 TL Püree aus sonnengetrockneten Tomaten (Crema di pomodori secchi, aus dem italienischen Feinkostladen)
1 TL Tabasco-Sauce
1 EL Weißweinessig
2 EL glatter Dijon-Senf
2 EL körniger Dijon-Senf
4 EL flüssiger Honig
Salz und frisch gemahlener schwarzer Pfeffer
4 Rinderlendensteaks, je 100–180 g
1 großes Baguette
4 EL Mayonnaise
1 Hand voll Brunnenkresse

1. Knoblauch, Olivenöl, Tomatenpüree, Tabasco, Essig, beide Senfsorten und Honig in einer Schüssel gründlich vermischen. Mit reichlich Salz und Pfeffer würzen, noch einmal gut durchmischen und beiseite stellen.

2. Von den Steaks das überschüssige Fett entfernen. Jedes Steak zwischen zwei Lagen Frischhaltefolie legen und auf etwa die Hälfte der Dicke flach klopfen. Beide Fleischseiten mit der Knoblauch-Senf-Mischung bestreichen.

3. Die Steaks bei starker Hitze 4–6 Min. grillen; dabei einmal wenden und mit einem sauberen Bratenpinsel nochmals mit der Knoblauch-Senf-Mischung bestreichen. Vom Grill nehmen und warm stellen.

4. Das Baguette in 4 gleich große Stücke schneiden. Jedes Stück oben der Länge nach aufreißen und wie ein Buch aufklappen. Mit den Innenseiten nach unten 1–2 Min. bei starker Hitze auf dem Grill rösten, bis Grillmuster sichtbar werden.

5. Die getoasteten Seiten sofort mit je 1 EL Mayonnaise bestreichen, die Brothälften wieder etwas zusammendrücken und mit je 1 Steak füllen, das Sie gegebenenfalls falten oder durchschneiden können, damit es hineinpasst. Zum Schluss mit Kresse bestreuen und servieren.

Pfeffrige Steak-Tortillas

Gas direkt, mittlere Hitze / **Weber® Q™** direkt, mittlere Hitze / **Grillkohle** direkt
Zubereitungszeit 10 Min. / **Grillzeit** 10–15 Min. / **Ergibt** 4 Stück

650 g Rumpsteak am Stück, 2,5 cm dick, überschüssiges Fett entfernt
1 EL frisch zerstoßene schwarze Pfefferkörner
Olivenöl, zum Bestreichen

Zum Servieren:
4 weiche Tortilla-Fladen
4 EL Guacamole
4 EL Tomaten-Salsa
4 EL saure Sahne
kleine Salatblätter

1. Das Steak auf eine Lage Frischhaltefolie legen und mit dem Pfeffer bestreuen. Umdrehen, dabei den überschüssigen Pfeffer abschütteln, und die Rückseite fest in den Pfeffer drücken.

2. Das Fleisch mit etwas Öl bestreichen und bei mittlerer Hitze 10–15 Min. grillen, dabei einmal wenden. Vom Grill nehmen und mit Alufolie bedeckt 5–10 Min. ruhen lassen, dann schräg und quer zur Faser in Scheiben schneiden.

3. Die Tortillas auf jeder Seite einige Sekunden zum Durchwärmen auf den Grill legen (sie dürfen nicht zu kross werden, da sie sonst beim Aufrollen brechen). Die Steakscheiben auf die warmen Fladen legen, je einen Klecks Guacamole, Salsa, saure Sahne und ein paar Salatblätter darüber verteilen, aufrollen und servieren.

TIPP

Fleisch sollte nach dem Grillen immer ein wenig ruhen. So kann sich der Saft verteilen, und das Innere gart noch etwas nach, was es besonders zart macht.

Steak-Sandwich
mit Sahnemeerrettich

Gas direkt, mittlere Hitze / **Weber® Q™** direkt, mittlere Hitze / **Grillkohle** direkt
Zubereitungszeit 5 Min. / **Grillzeit** 10–15 Min. / **Ergibt** 4 Stück

2 Rinderlendensteaks, je etwa 320 g und 3 cm dick, überschüssiges Fett entfernt
1 EL Sonnenblumenöl
Salz und frisch gemahlener schwarzer Pfeffer

Zum Servieren:
8 Scheiben Weißbrot
Butter (nach Belieben)
2–4 EL Sahnemeerrettich
gemischte grüne Salatblätter, gewaschen und abgetropft

1. Die Steaks in einer nichtmetallenen Schüssel auf beiden Seiten mit Öl bestreichen und mit Salz und Pfeffer würzen.

2. Die Steaks bei mittlerer Hitze 10–15 Min. grillen, nach der Hälfte der Zeit einmal wenden. Vom Grill nehmen und mit Alufolie bedeckt 5–10 Min. ruhen lassen.

3. Das Fleisch quer zur Faser in dünne Scheiben schneiden. Die Brote nach Belieben buttern, nach Geschmack mit Meerrettich bestreichen, Salatblätter darauf anrichten und das Fleisch obendrauf legen. Mit einer weiteren Scheibe Brot bedecken und servieren.

TIPP

Wenden Sie Fleisch nur mit der Grillzange. Stechen Sie es nicht an, sonst tritt kostbarer Fleischsaft aus.

Rindfleisch-Burritos

Gas direkt, mittlere Hitze / **Weber® Q™** direkt, mittlere Hitze / **Grillkohle** direkt
Zubereitungszeit 10 Min. + 4 Std. Marinierzeit / **Grillzeit** 10–12 Min. / **Ergibt** 8 Stück

700 g Rindersteak, 2 cm dick, das Fett entfernt
Pflanzenöl, zum Bestreichen
¼ TL grobes Meersalz
8 weiche Tortilla-Fladen, je 15 cm Durchmesser
1 Hand voll Koriandergrün, zum Servieren
Salsa und saure Sahne, zum Servieren

Für die Würzpaste:
100 ml Tomatenketchup
6 EL Limettensaft
5 Knoblauchzehen, zerdrückt
1 TL Chilipulver
¼ TL Zimtpulver

TIPP

Wenn Sie Koriandergrün komplett mit den Wurzeln kaufen, hat es das beste Aroma. Die Wurzeln können eingefroren und für Brühen und Eintöpfe verwendet werden.

1. Für die Würzpaste Ketchup und Limettensaft vermischen, Knoblauch und Gewürze dazugeben und alles zu einer geschmeidigen Paste verrühren. Beiseite stellen.

2. Das Fleisch auf beiden Seiten mehrfach kreuzförmig einschneiden, damit es sich beim Grillen nicht wölbt, anschließend die Würzpaste mit einem Bratenpinsel aufstreichen. In einer flachen Schüssel abgedeckt 4 Std. in den Kühlschrank stellen.

3. Das Fleisch aus dem Kühlschrank nehmen und bei Zimmertemperatur 10 Min. ruhen lassen, dann mit Öl bestreichen. Bei mittlerer Hitze 8–10 Min. grillen, so dass es innen noch rosa ist, nach der Hälfte der Zeit einmal wenden.

4. Das Fleisch auf ein Schneidbrett legen, mit Salz bestreuen und locker mit Alufolie bedecken. Während es ruht, die Tortillas voneinander trennen und je 4 in Alufolie einschlagen. Bei mittlerer Hitze in 3–4 Min. auf dem Grill durchwärmen.

5. Nach 5 Min. Ruhezeit das Fleisch schräg nach unten und quer zur Faser in sehr dünne Scheiben schneiden.

6. Zum Servieren die Rindfleischscheiben in die Mitte der Tortillas häufen. Etwas Koriandergrün darüberstreuen, einen Klecks Salsa und saure Sahne obendrauf setzen, die Tortillas zu kleinen Päckchen aufwickeln und servieren.

Pikantes Lendensteak

Gas direkt, mittlere Hitze / **Weber® Q™** direkt, mittlere Hitze / **Grillkohle** direkt
Zubereitungszeit 15 Min. / **Grillzeit** 8–12 Min. / **Für** 2 Personen

2 Rinderlendensteaks, je etwa 220 g und 2,5 cm dick

Für die Würzmischung:
1 TL mittelscharfes Chilipulver
1 TL Paprikapulver
1 TL scharfer Senf
1 TL gemahlener Koriander
2 Knoblauchzehen, zerdrückt
1 TL Salz
4 EL Olivenöl

1. Das überschüssige Fett von den Steaks abschneiden.

2. Alle Zutaten für die Würzmischung in der Küchenmaschine mixen. Die Steaks auf beiden Seiten gründlich damit einreiben.

3. Die Steaks bei mittlerer Hitze 8–12 Min. grillen, dabei einmal wenden. Vor dem Servieren 5–10 Min. in Alufolie eingepackt ruhen lassen.

TIPP

Sie können die Würzmischung ganz nach Ihren Vorlieben abändern. Gut zu Rindfleisch passen auch die Aromen von Zimt, Ingwer, Kardamom, Pfefferkörnern, Weinbrand, Portwein, Meerrettich, Senf und Sojasauce.

Entrecôte im Brötchen

Gas direkt, starke Hitze / **Weber® Q™** direkt, starke Hitze / **Grillkohle** direkt
Zubereitungszeit 15 Min. / **Grillzeit** 8 Min. / **Ergibt** 8 Stück

4 Entrecôtes oder Rinderlendensteaks, das Fett entfernt, je etwa 220 g und 2 cm dick
8 knusprige Brötchen, z. B. Ciabatta-Brötchen

Für die Würzmischung:
3 EL Kräuter der Provence oder eine italienische Kräutermischung
1 TL schwarze Pfefferkörner
¼ TL Salz

Für die gewürzte Butter:
125 g Butter
3 Knoblauchzehen, zerdrückt
1 EL Worcester-Sauce
1 EL Zitronensaft

1. Für die Würzmischung Kräuter, Pfeffer und Salz im Mörser zu einem feinen, aromatischen Pulver zerstoßen.

2. Die Steaks mit der Würzmischung einreiben und bei Zimmertemperatur einziehen lassen, während Sie die gewürzte Butter zubereiten.

3. Die Butter in einem Topf bei mittlerer Hitze zerlassen. Den Knoblauch dazugeben und in etwa 2 Min. glasig dünsten. Worcester-Sauce und Zitronensaft hineingießen und 2 Min. weiterdünsten. Vom Herd nehmen und bei Zimmertemperatur abkühlen lassen, bis der Grill startklar ist.

4. Die Steaks bei starker Hitze etwa 8 Min. grillen, so dass sie innen noch rot sind, nach der Hälfte der Zeit wenden. Während des Grillens immer wieder mit der gewürzten Butter bestreichen. Vom Grill nehmen, auf ein Schneidbrett legen und locker mit Alufolie bedecken.

5. In der Zwischenzeit die Brötchen so aufschneiden, dass sie wie ein Buch aufgeklappt werden können. Auf der Innenseite mit der restlichen Butter bestreichen; die Außenseite in 1–2 Min. bei starker Hitze auf dem Grill etwas anbräunen.

6. Jedes Steak diagonal halbieren, in die gerösteten Brötchen jeweils eine Steakhälfte packen und servieren.

Kalbskoteletts
gefüllt mit Salbei und Schinken

Gas direkt, mittlere Hitze / **Weber® Q™** direkt, mittlere Hitze / **Grillkohle** direkt
Zubereitungszeit 15 Min. / **Grillzeit** 14–16 Min. / **Ergibt** 4 Stück

50 g Parmaschinken
abgeriebene Schale und Saft von 2 unbehandelten Zitronen
2 EL grob gehackte frische Salbeiblätter
Salz und frisch gemahlener schwarzer Pfeffer
4 Kalbskoteletts, je etwa 2,5 cm dick
Öl, zum Bestreichen
4 TL Butter
4 frische Salbeizweige, zum Garnieren

1. In der Küchenmaschine den Schinken, die abgeriebene Zitronenschale, die Hälfte des Zitronensafts und den gehackten Salbei mit Salz und Pfeffer zu einer stückigen Paste verarbeiten.

2. Die Kalbskoteletts mit Küchenpapier trockentupfen. Auf der Oberseite jedes Koteletts 4 Einschnitte machen, etwa drei Viertel tief, und mit der Paste füllen.

3. Die Koteletts mit etwas Öl bestreichen und leicht salzen und pfeffern. Bei mittlerer Hitze 14–16 Minuten grillen; die Seite mit den Einschnitten zeigt zunächst nach unten. Nach der Hälfte der Zeit wenden. Das Fleisch soll zart und in der Mitte noch etwas rosa sein.

4. Vom Grill nehmen und auf vier Teller verteilen. Je 1 TL Butter auf die Koteletts setzen und mit etwas Zitronensaft beträufeln. Mit Salbeizweigen garniert servieren.

Wildschweinbratwürste
mit Steinpilzsauce

Gas direkt + indirekt, mittlere Hitze / **Weber® Q™** direkt, mittlere + niedrige Hitze
Grillkohle indirekt / **Zubereitungszeit** 10 Min. / **Grillzeit** 32 Min. / **Für** 4 Personen

450 g frische Steinpilze
1 Zwiebel, in fingerdicke Scheiben geschnitten
Öl, zum Bestreichen
6 Eiertomaten, enthäutet, Samen entfernt, gehackt
2 EL gehackter frischer Majoran
1 EL Aceto balsamico
2 EL Olivenöl
Salz und frisch gemahlener schwarzer Pfeffer
8 Wildschweinbratwürste (fragen Sie Ihren Metzger oder im italienischen Feinkostladen)
Polenta, zum Servieren

1. Die Pilze und Zwiebelscheiben rundum mit Öl bestreichen. Bei mittlerer Hitze 10–12 Min. grillen, dabei einmal wenden, bis sie weich und leicht gebräunt sind. Zum Abkühlen beiseite stellen.

2. Pilze und Zwiebeln grob hacken und in eine Schüssel geben. Die Tomaten und den Majoran hinzufügen und gründlich vermischen. Essig, Olivenöl und reichlich Salz und Pfeffer dazugeben und noch einmal durchmischen. Bis zum Servieren beiseite stellen, aber nicht in den Kühlschrank, da sich sonst die Aromen nicht entfalten können.

3. Die Würste nur leicht mit Öl bestreichen und indirekt bei mittlerer Hitze (Weber® Q™ direkt bei niedriger Hitze) 15–20 Min. grillen, bis sie weich sind; dabei einmal wenden.

4. Die Bratwürste mit der Pilzsauce servieren, dazu passt weiche Polenta.

Schweinefilets vom Grill
mit Pflaumensauce und Nudeln

Gas direkt, starke + indirekt, mittlere Hitze / **Weber® Q™** direkt, starke + niedrige Hitze
Grillkohle indirekt / **Zubereitungszeit** 30 Min. + 15 Min. Marinierzeit / **Grillzeit** 20–25 Min.
Für 4 Personen

400 g rote Pflaumen, halbiert, entsteint, grob gehackt
1 Zimtstange, halbiert
1 rote Chilischote, Samen entfernt, gehackt
150 g Gelierzucker
100 ml Rotweinessig
2 Schweinefilets, je etwa 400 g
Öl, zum Bestreichen
250 g dicke chinesische Eiernudeln
2 EL Olivenöl mit Chiliaroma
Salz und frisch gemahlener schwarzer Pfeffer

1. Die Pflaumen in einem großem Topf zusammen mit den Zimthälften, Chili und Zucker bei niedriger Temperatur erhitzen, bis sich der Zucker aufgelöst hat. Den Essig zugießen, gut umrühren und etwa 20 Min. köcheln lassen, bis die Pflaumen weich sind und die Flüssigkeit etwas eingekocht ist. Den Zimt herausfischen. Drei Viertel der Pflaumensauce in eine Servierschale füllen und abgedeckt beiseite stellen, die restliche Sauce wird beim Grillen verwendet.

2. Von den Filets die Haut und überschüssiges Fett entfernen und in das Fleisch kleine Einschnitte machen.

3. Das Fleisch mit Öl bestreichen und bei starker Hitze 10 Min. auf dem Grill anbraten, dabei dreimal wenden. Die Filets mit der Pflaumensauce bestreichen, anschließend indirekt bei mittlerer Hitze weitere 25–30 Min. grillen (Weber® Q™ 15–20 Min. direkt bei niedriger Hitze). Hin und wieder mit der Pflaumensauce bestreichen. Vom Grill nehmen und mit Alufolie bedeckt 5–10 Min. ruhen lassen.

4. Die Nudeln nach der Packungsanweisung kochen. Abseihen, in dem Chiliöl schwenken und mit Salz und Pfeffer abschmecken. Das Fleisch in Scheiben schneiden und mit den Nudeln und der beiseite gestellten Pflaumensauce servieren.

Schweinefilets
mit Kräuterkruste

Gas indirekt, mittlere Hitze / **Weber® Q™** direkt, niedrige Hitze / **Grillkohle** direkt
Zubereitungszeit 20 Min. + 24 Std. Marinierzeit / **Grillzeit** 35 Min. / **Für** 6–8 Personen

6 große Knoblauchzehen
1 TL Salz
4 EL Olivenöl
2 EL gehackte frische glatte Petersilie
1 EL gehackter frischer Oregano
1 TL gehackter frischer Rosmarin
1 TL gehackter frischer Thymian
2 getrocknete Lorbeerblätter, zerrieben
½ TL grob gemahlener schwarzer Pfeffer
2 EL geräuchertes Paprikapulver
3 Schweinefilets, je 350–400 g
Kartoffelsalat, zum Servieren

1. Am Vortag den Knoblauch zusammen mit dem Salz im Mörser zerreiben. Langsam das Olivenöl dazugießen und weiter zerreiben, bis eine ziemlich glatte Paste entstanden ist. In eine mittelgroße Schüssel umfüllen. Petersilie, Oregano, Rosmarin, Thymian, Lorbeerblätter und Paprikapulver hinzufügen und alles zu einer dicken Paste verrühren.

2. Von den Filets die Haut und das überschüssige Fett entfernen. Mit der Spitze eines scharfen Messers das Fleisch rundherum einschlitzen, anschließend überall mit der Knoblauch-Kräuter-Paste einreiben. Auf einem großen Teller mit Frischhaltefolie abbedeckt 24 Std. im Kühlschrank marinieren lassen.

3. Vor dem Grillen die Filets Zimmertemperatur annehmen lassen. Indirekt bei mittlerer Hitze (Weber® Q™ direkt bei niedriger Hitze) 30–35 Min. grillen, bis das Fleisch durchgebraten ist; dabei einmal wenden. Vor dem Aufschneiden 10 Min. ruhen lassen.

4. Die Filets in dicke Scheiben schneiden und mit einem Kartoffelsalat servieren.

Schweinefleisch-Kartoffel-Spieße

Gas direkt, mittlere Hitze / **Weber® Q™** direkt, mittlere Hitze / **Grillkohle** direkt
Zubereitungszeit 20 Min. + 30 Min. Einweichzeit / **Grillzeit** 14 Min. / **Ergibt** 8 Stück

8 kräftige frische Rosmarinzweige, je etwa 15 cm lang
16 kleine neue Kartoffeln, abgebürstet
700 g Schweinelende
3 EL Olivenöl
Saft von ½ Zitrone
Salz und frisch gemahlener schwarzer Pfeffer
Zitronenspalten, zum Servieren

TIPP

Die Rosmarinspieße verleihen dem Fleisch und den Kartoffeln zusätzliches Aroma. Wenn Sie normale Holzspieße verwenden müssen, bereiten Sie das Würzöl mit 2 EL gehacktem Rosmarin zu.

1. Die Blätter der Rosmarinzweige abzupfen, aber an der Spitze einen Büschel stehen lassen. Die Blätter beiseite stellen. Die Zweige unten anspitzen und mindestens 30 Min. in kaltem Wasser einweichen. So viele Rosmarinblätter hacken, dass Sie etwa 1 EL erhalten, der Rest wird nicht verwendet.

2. Die Kartoffeln 10–12 Min. in Salzwasser kochen, bis sie gerade weich sind. Gut abtropfen lassen.

3. Von der Schweinelende die Haut und überschüssiges Fett entfernen. Das Fleisch in 24 etwa 4 cm große Würfel schneiden. Je 3 Fleischwürfel und 2 Kartoffeln abwechselnd auf die Rosmarinspieße stecken.

4. Den gehackten Rosmarin mit dem Olivenöl und dem Zitronensaft vermischen, mit reichlich Salz und Pfeffer würzen.

5. Die Spieße mit dem Rosmarinöl bestreichen, salzen und pfeffern. Bei mittlerer Hitze 14 Min. grillen, nach der Hälfte der Zeit einmal wenden und mit einem sauberen Bratenpinsel noch einmal das Rosmarinöl aufstreichen.

6. Die Schweinefleisch-Kartoffel-Spieße mit Zitronenspalten servieren.

Chipotle-Schweinefleisch-Spieße

Gas direkt, starke Hitze / **Weber® Q™** direkt, starke Hitze / **Grillkohle** direkt
Zubereitungszeit 15 Min. + 24 Std. Marinierzeit / **Grillzeit** 11–14 Min. / **Ergibt** 8 Stück

900 g Schweinelende
Pflanzenöl, zum Bestreichen
16 weiche Tortilla-Fladen, je 15 cm Durchmesser

Für die Marinade:
½ TL Chipotle-Pulver, ersatzweise Chilipulver
1 TL gemahlener Kreuzkümmel
4 Knoblauchzehen, zerdrückt
2 EL getrockneter Oregano
6 EL frisch gepresster Orangensaft
¼ TL Salz

Außerdem:
8 Metallspieße

TIPP
Chipotle-Pulver wird aus geräucherten scharfen Jalapeño-Chilis hergestellt.

1. Für die Marinade alle Zutaten in einer Schüssel vermischen und zu einer relativ flüssigen Paste verschlagen.

2. Das Fleisch in etwa 2 cm große Würfel schneiden und in einer großen flachen Schüssel mit der Marinade übergießen. Gut durchmischen, damit die Fleischwürfel komplett von der Marinade überzogen sind. Mit Frischhaltefolie abgedeckt für 24 Std. in den Kühlschrank stellen.

3. Kurz bevor das Fleisch auf den Grill kommt, das Fleisch herausnehmen und die Marinade abtropfen lassen (die Marinade wird nicht mehr benötigt). Die Fleischwürfel auf die Metallspieße stecken und mit Öl bestreichen.

4. Bei starker Hitze 8–10 Min. grillen, bis das Fleisch durchgebraten ist. Rechnen Sie pro Seite etwa 2–3 Min.

5. In der Zwischenzeit die Tortillas voneinander trennen, je 4 in Alufolie schlagen und bei starker Hitze in 3–4 Min. auf dem Grill durchwärmen.

6. Jeweils 1 Spieß mit 2 Tortillas auf Tellern anrichten und servieren. Ihre Gäste können das Fleisch selbst vom Spieß ziehen und in die Tortillas wickeln. Dazu passt hervorragend saure Sahne mit Schnittlauch.

Honig-Senf-Schweinefleisch

Gas direkt, starke Hitze / **Weber® Q™** direkt, starke Hitze / **Grillkohle** direkt
Zubereitungszeit 15 Min. + 24 Std. Marinierzeit / **Grillzeit** 10–12 Min. / **Ergibt** 8 Stück

900 g Schweinelende
Pflanzenöl, zum Bestreichen
½ TL grobes Meersalz
8 kleine Pita-Brote
1 rote Zwiebel, in feine Ringe geschnitten, zum Garnieren
Limettenspalten, zum Servieren

Für die Marinade:
125 ml milder Senf
2 EL Weißweinessig
3 EL flüssiger Honig
¼ TL Cayennepfeffer

Außerdem:
8 Metallspieße, je 20 cm

TIPP
Bevor Sie mit der Zubereitung beginnen, sollten Sie gründlich Ihre Hände waschen. Das gilt auch, nachdem Sie rohes Fleisch, Geflügel oder Fisch berührt haben.

1. Für die Marinade alle Zutaten in einer mittelgroßen Schüssel zu einer glatten Sauce verrühren. Bei Zimmertemperatur beiseite stellen.

2. Das Schweinefleisch in 2 cm große Würfel schneiden, in eine große flache Schüssel legen und mit der Marinade übergießen. Gut durchmischen, damit das Fleisch komplett mit der Marinade überzogen ist. Mit Frischhaltefolie abgedeckt für 24 Std. in den Kühlschrank stellen.

3. Das Fleisch aus der Marinade nehmen und abtropfen lassen, die Marinade wird nicht mehr gebraucht. Die Fleischwürfel auf die Metallspieße stecken und mit Öl bestreichen.

4. Die Spieße bei starker Hitze 8–10 Min. grillen, so dass das Fleisch durchgebraten ist. Rechnen Sie pro Seite 2–3 Min. Anschließend mit dem Meersalz bestreuen.

5. In der Zwischenzeit von den Pita-Broten jeweils das obere Ende abbrechen, damit man sie füllen kann. Die Brote außen mit Öl bestreichen oder je 2 in Alufolie schlagen und bei starker Hitze in 4 Min. auf dem Grill durchwärmen.

6. Das Fleisch von den Spießen ziehen und in die Pita-Brote füllen. Mit Zwiebelringen garnieren und mit den Limettenspalten servieren.

Souvlaki in Pita-Brot

Gas direkt, starke Hitze / **Weber® Q™** direkt, starke Hitze / **Grillkohle** direkt
Zubereitungszeit 15 Min. + 24 Std. Marinierzeit / **Grillzeit** 8 Min. / **Ergibt** 8 Stück

75 ml Olivenöl
125 ml trockener Weißwein
4 Knoblauchzehen, zerdrückt
3 Lorbeerblätter
1 EL getrockneter Oregano
900 g Schweinelende
Pflanzenöl, zum Bestreichen
½ TL grobes Meersalz
8 Pita-Brote
8 Zitronenspalten

Außerdem:
8 Metallspieße

TIPP
Wenn Sie die Metallspieße vor dem Aufstecken des Fleischs einölen, lassen sie sich später leichter herausziehen.

1. Für die Marinade Olivenöl, Wein, Knoblauch, Lorbeerblätter und Oregano in einer Schüssel gründlich verrühren. Bei Zimmertemperatur beiseite stellen.

2. Das Schweinefleisch in 2 cm große Würfel schneiden, in eine große flache Schüssel legen und mit der Marinade übergießen. Gut durchmischen, damit das Fleisch komplett mit ihr überzogen ist. Mit Frischhaltefolie abgedeckt für 24 Std. in den Kühlschrank stellen.

3. Das Fleisch aus der Marinade nehmen, abtropfen lassen (die Marinade wird nicht mehr benötigt) und auf die Metallspieße stecken. Die Spieße mit Öl bestreichen und bei starker Hitze etwa 8 Min. grillen, so dass das Fleisch durchgebraten ist. Rechnen Sie 2–3 Min. pro Seite. Mit dem Salz bestreuen.

4. In der Zwischenzeit von den Pita-Broten das obere Ende abbrechen, damit man sie füllen kann. Die Brote außen mit Öl bestreichen oder je 2 in Alufolie einwickeln und auf dem Grill bei starker Hitze in 4 Min. durchwärmen.

5. Zum Servieren die Spieße herausziehen und das Fleisch in die Pita-Brote füllen. Je 1 Zitronenspalte darüber ausdrücken und nach Belieben mit Salz abschmecken. Reichen Sie dazu Tsatsiki, Zwiebelringe und frische Kräuter wie Dill oder Koriandergrün.

Schweinesteaks
mit glasierten Äpfeln

Gas direkt, mittlere Hitze / **Weber® Q™** direkt, mittlere Hitze / **Grillkohle** direkt
Zubereitungszeit 15 Min. / **Grillzeit** 18–22 Min. / **Für** 4 Personen

4 Schweinestaks aus der Lende, je etwa 175 g und 2,5 cm dick, Fett entfernt
Salz und frisch gemahlener schwarzer Pfeffer
2 EL dunkles Sesamöl
Saft von 1 Limette
2 TL Honig
1 TL Dijon-Senf
1 EL klarer Honig
1 EL Öl
4 Äpfel, entkernt, in Achtel geschnitten

1. Die Schweinesteaks auf beiden Seiten mit Salz und Pfeffer würzen. Sesamöl, Limettensaft, Honig und Senf miteinander vermischen und das Fleisch damit bestreichen.

2. Bei mittlerer Hitze 10–14 Min. (je nach Dicke der Steaks) grillen, nach der Hälfte der Zeit einmal wenden. Vom Grill nehmen und 5–10 Min. mit Alufolie bedeckt ruhen lassen.

3. In der Zwischenzeit den klaren Honig und das Öl miteinander verrühren und die Apfelstücke darin wälzen, so dass sie gut damit überzogen sind. Bei mittlerer Hitze 8 Min. grillen, nach der Hälfte der Zeit einmal wenden. Zu den Steaks servieren.

Tequila Sunrise

4 cl Tequila
10 cl Orangensaft
1 cl Grenadine

Tequila und Orangensaft in ein mit Eis gefülltes Longdrinkglas gießen. Umrühren und wieder zur Ruhe kommen lassen. Die Grenadine kreisförmig daraufgießen und absinken lassen. Mit 1 Orangenscheibe und 1 Maraschino-Kirsche dekorieren.

Gemischte Fleischspieße

Gas direkt, mittlere Hitze / **Weber® Q™** direkt, mittlere Hitze / **Grillkohle** direkt
Zubereitungszeit 15 Min. + 24 Std. Marinierzeit / **Grillzeit** 10–12 Min. / **Ergibt** 8 Stück

450 g Rinderlende
450 g Kalbslende
3 EL zerlassene Butter
½ TL grobes Meersalz
8 dünne Brotfladen oder weiche Tortillas

Für die Marinade:
8 Knoblauchzehen, mit 1 EL grobem Meersalz zerdrückt
115 ml trockener Sherry
2 TL Chilisauce
2 EL fein gehackter frischer Rosmarin

Außerdem:
8 Metallspieße

TIPP

Dieses Rezept beruht auf der brasilianischen *Churrascaria*, bei der das Fleisch auf langen Metallspießen gegrillt und serviert wird.

1. Für die Marinade alle Zutaten in eine Schüssel geben und gut miteinander verrühren. Beiseite stellen.

2. Beide Fleischsorten in etwa 2,5 cm große Würfel schneiden. Das gesamte Fleisch in einer großen flachen Schüssel mit der Marinade übergießen und gut durchmischen, damit es komplett damit überzogen ist. Mit Frischhaltefolie abdecken und 24 Std. kalt stellen.

3. Das Fleisch aus der Marinade nehmen, abtropfen lassen (die Marinade brauchen Sie nicht mehr) und abwechselnd auf die Spieße stecken. Mit der Butter bestreichen.

4. Die Fleischspieße bei mittlerer Hitze 8–10 Min. grillen, dabei einmal wenden, bis sie knapp medium sind. Während des Grillens zwei- bis dreimal mit Butter bestreichen.

5. Die Spieße vom Grill nehmen, auf eine Servierplatte legen und mit Meersalz bestreuen. Locker mit Alufolie abdecken und 5 Min. ruhen lassen.

6. In der Zwischenzeit je 4 Brotfladen oder Tortillas in Alufolie packen und in 3–4 Min. bei mittlerer Hitze auf dem Grill durchwärmen.

7. Die Spieße auf den warmen Fladen anrichten und servieren. Ihre Gäste können das Fleisch mit Hilfe des Brots von den Spießen ziehen.

Rehrücken
mit Rosmarin-Knoblauch-Butter

Gas indirekt, mittlere Hitze / **Weber® Q™** direkt, niedrige Hitze / **Grillkohle** indirekt
Zubereitungszeit 15 Min. + 4 Std. Marinierzeit / **Grillzeit** 40 Min. / **Für** 6 Personen

1,25–1,5 kg Rehrücken mit freiliegenden Rippenknochen
3 große Knoblauchzehen
1 kleines Bund frischer Rosmarin
25 g Bauchspeck, vorzugsweise Pancetta
Salz und frisch gemahlener schwarzer Pfeffer
1 Flasche körperreicher italienischer Rotwein, vorzugsweise Barolo
Öl, zum Bestreichen
Rosmarin-Knoblauch-Butter (siehe S. 31), zum Servieren

1. Vom Fleisch das überschüssige Fett entfernen. In das Fleisch rundherum viele kleine, tiefe Einschnitte machen. Den Knoblauch abziehen und in dünne Scheiben schneiden. Den Rosmarin in kleine Zweige brechen. Den Speck klein schneiden, etwa in der Größe der Knoblauchscheiben. Je 1 Knoblauchscheibe, 1 Rosmarinzweig und 1 Stück Speck in die Einschnitte stecken. Den Rehrücken in eine flache Schüssel legen, großzügig salzen und pfeffern und mit dem Wein übergießen. Mindestens 4 Std. im Kühlschrank marinieren lassen; gelegentlich wenden.

2. Das Fleisch herausnehmen und mit Küchenpapier trockentupfen; die Marinade wird nicht mehr benötigt. Die freiliegenden Rippenknochen einzeln mit Alufolie umwickeln, damit sie beim Grillen nicht verbrennen. Das Fleisch mit Öl bestreichen und noch einmal mit Salz und Pfeffer würzen.

3. Mit der Knochenseite nach unten indirekt bei mittlerer Hitze (Weber® Q™ direkt bei niedriger Hitze) 35–40 Min. grillen, nach der Hälfte der Zeit einmal wenden. In den letzten 5 Min. die Alufolie von den Rippenknochen entfernen. Vor dem Servieren 5 Min. ruhen lassen.

4. Den Rehrücken zwischen den Knochen in Koteletts schneiden und mit der in Scheiben geschnittenen Rosmarin-Knoblauch-Butter servieren.

Steaks vom Wild
mit süßer Johannisbeer-Butter

Gas direkt, mittlere Hitze / **Weber® Q™** direkt, mittlere Hitze / **Grillkohle** direkt
Zubereitungszeit 20 Min. + 2 Std. Marinierzeit / **Grillzeit** 8 Min. / **Für** 6 Personen

6 Hirsch- oder Rehsteaks, je 200–250 g

Für die Marinade:
1 Schalotte, gehackt
1 große Knoblauchzehe, gehackt
4 Wacholderbeeren, zerdrückt
1 Lorbeerblatt
1 frischer Rosmarinzweig
150 ml fruchtiger Rotwein
75 ml Olivenöl
Salz und frisch gemahlener schwarzer Pfeffer

Für die Johannisbeer-Butter:
100 g weiche Butter
1½ EL rotes Johannisbeergelee
½ TL Salz
3 EL fein gehackte frische glatte Petersilie

1. Für die Marinade Schalotte, Knoblauch, Wacholderbeeren, Lorbeerblatt, Rosmarin, Wein und Olivenöl in eine Schüssel geben. Mit Salz und Pfeffer würzen und alles gut miteinander vermischen. Die Steaks nebeneinander in eine große flache Schüssel legen, mit der Marinade übergießen und abgedeckt mindestens 2 Std. im Kühlschrank marinieren lassen.

2. In der Zwischenzeit für die Johannisbeer-Butter die weiche Butter mit dem Johannisbeergelee in einer Schüssel gründlich verschlagen, mit dem Salz und nach Belieben mit Pfeffer würzen. Die Butter auf eine große Lage Frischhaltefolie geben und zu einer Rolle formen. Fest einwickeln und die Enden wie Bonbonpapier verdrillen. Im Kühlschrank ein wenig fest werden lassen. Anschließend die Petersilie auf einen großen Teller streuen, die Butter auswickeln und in der Petersilie rollen, bis sie außen ganz von ihr bedeckt ist. In saubere Frischhaltefolie wickeln und im Kühlschrank richtig fest werden lassen.

3. Die Steaks aus der Marinade nehmen (die Marinade wird nicht mehr benötigt). Das Fleisch leicht salzen und pfeffern und bei mittlerer Hitze 6–8 Min. grillen, dabei einmal wenden. Es soll zart, im Inneren aber noch schön rot sein. Die Butter in 6 Scheiben schneiden und auf den heißen Steaks servieren.

KAPITEL 5

Gemüse & Käse

Gegrilltes Gemüse
auf Kartoffel-Rösti

Gas direkt, mittlere Hitze / **Weber® Q™** direkt, mittlere Hitze / **Grillkohle** direkt
Zubereitungszeit 10 Min. / **Grillzeit** 10–14 Min. / **Für** 4 Personen

1 rote Paprikaschote, geviertelt, Samen entfernt
1 gelbe Paprikaschote, geviertelt, Samen entfernt
1 Aubergine, geputzt, in 1 cm dicke Scheiben geschnitten
1 rote Zwiebel, geschält, in Spalten geschnitten
1 Fenchelknolle, geputzt, in Spalten geschnitten
75 ml Olivenöl mit Knoblaucharoma
Salz und frisch gemahlener schwarzer Pfeffer
4 Kartoffel-Rösti aus der Packung
frische Basilikumblätter, zum Garnieren

1. Alles Gemüse mit ein wenig Knoblauchöl bestreichen. Sorgfältig auf dem Grill platzieren, damit nichts durch den Rost fällt, und bei mittlerer Hitze 10–14 Min. grillen, dabei mehrmals wenden, bis das Gemüse weich ist.

2. Das Gemüse vom Grill nehmen und in eine große Schüssel füllen. Den größten Teil des Knoblauchöls darübergießen, mit Salz und Pfeffer würzen und gut durchmischen.

3. Die Rösti nach der Packungsanweisung zubereiten. Auf jedem Rösti eine Gemüseauswahl anrichten, mit dem restlichen Knoblauchöl beträufeln und mit frischen Basilikumblättern garniert servieren.

Gegrillter Halloumi
mit Chili und Kräutern

Gas direkt, starke Hitze / **Weber® Q™** direkt, starke Hitze / **Grillkohle** direkt
Zubereitungszeit 10 Min. + 20 Min. Marinierzeit / **Grillzeit** 4–7 Min. / **Für** 4 Personen

500 g Halloumi-Käse, abgetropft und in 6 mm dicke Scheiben geschnitten
100 ml Olivenöl mit Basilikumaroma
1 rote Chilischote, Samen entfernt, in Ringe geschnitten
1 kleines Bund frisches Basilikum
1 kleines Bund Koriandergrün
4 Focaccia-Brötchen mit Knoblauch und Kräutern
Öl, zum Bestreichen

1. Den Halloumi in einer Schüssel mit dem Basilikumöl übergießen und die Chiliringe darüberstreuen. Basilikum und Koriander grob hacken und untermischen. Abgedeckt 20 Min. marinieren lassen.

2. Den Käse bei starker Hitze 4–6 Min. grillen, dabei einmal wenden, bis er auf beiden Seiten goldbraun ist.

3. In der Zwischenzeit die Brötchen aufschneiden, mit Öl bestreichen und bei starker Hitze auf jeder Seite etwa 1 Min. grillen, um sie durchzuwärmen. Den Halloumi auf vier Tellern anrichten und mit dem Basilikumöl und den warmen Brötchen servieren. Dazu passt grüner Salat.

TIPP

Legen Sie Brötchen und Brotscheiben zum Durchwärmen oder Rösten auf den Grill – Sie werden den Unterschied schmecken!

Warmer Ziegenkäse im Brötchen
mit Spinat

Gas direkt, mittlere Hitze / **Weber® Q™** direkt, mittlere Hitze / **Grillkohle** direkt
Zubereitungszeit 10 Min. / **Grillzeit** 7 Min. / **Für** 4 Personen

2 viereckige Panini-Brötchen, halbiert
2 EL Olivenöl, plus mehr zum Beträufeln (nach Belieben)
frisch gemahlener schwarzer Pfeffer
1 runder Ziegenweichkäse (200 g)
1 Hand voll zarter Blattspinat, gewaschen und abgetropft

1. Die Brötchenhälften bei mittlerer Hitze 2 Min. auf dem Grill rösten, nach der Hälfte der Zeit wenden. Vom Grill nehmen und nebeneinander in eine Grillschale legen.

2. Das Olivenöl mit Pfeffer vermischen und den Käse in 4 gleich große Scheiben schneiden. Auf jede Brötchenhälfte 1 Käsescheibe legen, mit dem Pfefferöl beträufeln und 5 Min. bei mittlerer Hitze grillen, bis der Ziegenkäse zu schmelzen beginnt.

3. Die Brötchen auf vier Tellern anrichten. Den Spinat auf den Käse legen – er wird durch die Wärme leicht zusammenfallen – und nach Belieben mit Olivenöl beträufeln.

TIPP

Wenn Sie sehr reifen Ziegenkäse grillen, verkürzt sich möglicherweise

Grüner Spargel vom Grill
mit Knoblauch-Safran-Paprika-Butter

Gas direkt, mittlere Hitze / **Weber® Q™** direkt, mittlere Hitze / **Grillkohle** direkt
Zubereitungszeit 15 Min. / **Grillzeit** 11 Min. / **Für** 4 Personen

1 große Prise Safranfäden
175 g weiche Butter
2 große Knoblauchzehen, zerdrückt
¼ TL Paprikapulver
2 EL gehackte frische glatte Petersilie
24 Stangen grüner Spargel
Öl, zum Bestreichen
4 dicke Scheiben herzhaftes Bauernbrot
Salz und frisch gemahlener schwarzer Pfeffer
4 weich gekochte Eier (4–5 Min.), zum Servieren

1. Den Safran im Mörser fein zerreiben; beiseite stellen.

2. Von der Butter 50 g in einem kleinen Topf zerlassen und den Knoblauch darin bei schwacher Hitze 1–2 Min. behutsam weich dünsten. Safran und Paprikapulver unterrühren und 1 Min. weiterdünsten. Die restliche Butter und die Petersilie einrühren, den Topf vom Herd nehmen und die Butter darin langsam schmelzen lassen.

3. Um die holzigen Enden der Spargelstangen zu entfernen, fassen Sie eine Stange an beiden Enden mit den Händen und biegen sie. Sie bricht genau an der Stelle, wo der holzige Teil beginnt. Alle Stangen auf diese Weise vorbereiten.

4. Die Spargelstangen mit Öl bestreichen und bei mittlerer Hitze 6–8 Min. grillen, bis sie Grillmuster haben, dabei einmal wenden. Das Brot 2–3 Min. bei mittlerer Hitze auf dem Grill rösten, dabei einmal wenden, bis es ebenfalls Grillstreifen hat.

5. Die Butter im Topf mit Salz und Pfeffer abschmecken und vorsichtig wieder erhitzen. Das Brot auf vier Tellern anrichten, je 6 Spargelstangen darauflegen und mit der Butter beträufeln. Servieren Sie dazu für jeden 1 frisch gekochtes weiches Ei.

Gegrillter grüner Spargel
mit Gorgonzola-Sauce

Gas direkt, mittlere Hitze / **Weber® Q™** direkt, mittlere Hitze / **Grillkohle** direkt
Zubereitungszeit 15 Min. / **Grillzeit** 6–8 Min. / **Für** 4 Personen

24 Stangen grüner Spargel
Öl, zum Bestreichen
frisch geriebener Parmesan, zum Servieren

Für die Gorgonzola-Sauce:
2 EL Butter
200 g Gorgonzola, in kleine Stücke geschnitten
50 g Mascarpone
frisch gemahlener schwarzer Pfeffer
1 kleine Hand voll Basilikumblätter

1. Für die Gorgonzola-Sauce die Butter in einem mittelgroßen Topf zerlassen und den Gorgonzola dazugeben. Bei schwacher Hitze behutsam erwärmen, bis der Käse eben flüssig ist. Vom Herd nehmen und den Mascarpone, etwas Pfeffer und die Basilikumblätter einrühren. So lange weiterrühren, bis die Sauce flüssig ist, dann vom Herd nehmen.

2. Die holzigen Enden des Spargels entfernen: Fassen Sie eine Stange an beiden Enden mit den Händen und biegen Sie sie. Sie bricht genau an der Stelle, wo der holzige Teil beginnt. Den gesamten Spargel so vorbereiten.

3. Die Spargelstangen mit Öl bestreichen und bei mittlerer Hitze 6–8 Min. grillen, dabei einmal wenden, bis sie weich sind und die typischen Grillstreifen aufweisen.

4. Den gegrillten Spargel mit geriebenem Parmesan bestreuen und mit der warmen Gorgonzola-Sauce servieren.

Gefüllte Paprikaschoten
mit Zitronen-Kräuter-Couscous

Gas direkt, mittlere Hitze / **Weber® Q™** direkt, mittlere Hitze / **Grillkohle** direkt
Zubereitungszeit 20 Min. / **Grillzeit** 12–14 Min. / **Für** 4 Personen

200 g Couscous
350 ml kochend heiße Gemüsebrühe
5 EL Olivenöl mit Knoblaucharoma
2 EL frische Schnittlauchröllchen
4 EL gehacktes Koriandergrün
10 schwarze Oliven, entsteint, fein gehackt
½ eingelegte Zitrone (arabischer Feinkostladen), fein gehackt (nach Belieben)
200 g Feta-Käse, fein zerkrümelt
Salz und frisch gemahlener schwarzer Pfeffer
4 rote Paprikaschoten

1. Den Couscous in eine Schüssel füllen und die heiße Brühe darübergießen. Mit Frischhaltefolie abgedeckt etwa 5 Min. ruhen lassen, bis der Couscous die Flüssigkeit aufgesogen hat. 3 EL des Olivenöls, die Kräuter, die Oliven, nach Belieben die eingelegte Zitrone und den Feta untermischen. Mit Salz und Pfeffer abschmecken.

2. Die Paprikaschoten halbieren, die Samen und Trennwände entfernen und die Schoten mit dem restlichen Olivenöl bestreichen. Bei mittlerer Hitze 4 Min. mit der Schnittseite nach unten grillen.

3. Die Paprika vom Grill nehmen und – jetzt mit der Schnittseite nach oben – in den Weber Gemüsekorb oder eine Grillschale legen. Die Schoten mit dem Couscous füllen und noch einmal 8–10 Min. grillen, bis sie weich sind und der Couscous heiß ist.

Auberginenstreifen
mit klassischem Pesto

Gas direkt, mittlere Hitze / **Weber® Q™** direkt, mittlere Hitze / **Grillkohle** direkt
Zubereitungszeit 15 Min. / **Grillzeit** 8–10 Min. / **Für** 4 Personen

2 große Auberginen, geputzt, längs in 1,5 cm dicke Scheiben geschnitten

Für das Pesto:
50 g frische Basilikumblätter
2 große Knoblauchzehen
50 g Pinienkerne, plus mehr zum Servieren
50 g frisch geriebener Parmesan
Salz und frisch gemahlener schwarzer Pfeffer
150 ml Olivenöl

1. Für das Pesto Basilikum, Knoblauch, Pinienkerne und Parmesan in der Küchenmaschine zerkleinern. Mit Salz und Pfeffer würzen. Bei laufender Maschine nach und nach das Öl eingießen. Das Pesto soll am Ende dick und glatt sein.

2. Die Auberginenstreifen auf beiden Seiten mit Pesto bestreichen und 8–10 Min. bei mittlerer Hitze grillen, dabei einmal wenden, bis sie weich sind. Die Auberginen mit Pinienkernen bestreuen und mit dem restlichen Pesto servieren. Dazu passt ein gemischter grüner Salat.

TIPP

Sie können das klassische Pesto nach Belieben abwandeln. Ersetzen Sie das Basilikum z. B. durch Koriandergrün oder, für einen pfeffrigeren Geschmack, durch Rucola.

Kürbis und Zucchini
mit Ingwer-Chili-Dip

Gas direkt, mittlere Hitze / **Weber® Q™** direkt, mittlere Hitze / **Grillkohle** direkt
Zubereitungszeit 15 Min. / **Grillzeit** 8–10 Min. / **Für** 4 Personen

2 große grüne Zucchini, geputzt und in 1,5 cm dicke Scheiben geschnitten
1 Butternuss-Kürbis, geschält, halbiert, Kerne entfernt, in 1,5 cm dicke Scheiben geschnitten
8 EL Olivenöl
Salz und frisch gemahlener schwarzer Pfeffer
gehackte frische Kräuter, zum Servieren

Für den Dip:
150 ml Mayonnaise
1 TL Harissa (orientalische Würzpaste, nach Belieben)
1 TL geriebener frischer Ingwer

1. Die Zucchini- und Kürbisscheiben mit dem Olivenöl bestreichen, salzen und pfeffern und bei mittlerer Hitze 8–10 Min. grillen, dabei einmal wenden, bis sie weich sind.

2. In der Zwischenzeit die Zutaten für den Dip verrühren.

3. Das gegrillte Gemüse mit den Kräutern bestreuen und zusammen mit dem Dip servieren.

TIPP
Achten Sie darauf, dass die Gemüsestücke gleich groß sind, damit sie zusammen gar werden. Statt Kürbis können Sie hier auch rote oder orange Paprikaschoten nehmen. Wenn Sie eine Gemüseauswahl grillen wollen, halten Sie sich an die Garzeiten der Tabellen auf S. 20–25.

Zucchini-Kürbis-Salat

Gas direkt, starke Hitze / **Weber® Q™** direkt, starke Hitze / **Grillkohle** direkt
Zubereitungszeit 15 Min. / **Grillzeit** 8 Min. / **Für** 8 Personen

2 mittelgroße gelbe Zucchini
2 Mini-Patisson-Kürbisse
Olivenöl, zum Bestreichen
¼ TL grobes Meersalz
frisch zerstoßene schwarze Pfefferkörner
200 g Feta-Käse

Für das Dressing:
8 EL Olivenöl
1 TL Dijon-Senf
2 EL Zitronensaft
4 Knoblauchzehen, zerdrückt
2 TL getrockneter Oregano
Salz und frisch gemahlener schwarzer Pfeffer

1. Für das Dressing das Öl, den Senf und den Zitronensaft in einer kleinen Schüssel mit dem Schneebesen verrühren, anschließend Knoblauch und Oregano gründlich unterrühren. Bei Zimmertemperatur beiseite stellen.

2. Zucchini und Kürbisse längs in etwa 6 mm dicke Streifen schneiden. Mit Olivenöl bestreichen, mit dem Salz und dem Pfeffer bestreuen und jede Seite bei starker Hitze etwa 4 Min. grillen, bis Grillmuster zu sehen sind. Auf einer großen Servierplatte auslegen.

3. Den Feta-Käse über die Kürbis- und Zucchini-Streifen bröckeln und alles mit dem Dressing beträufeln. Servieren Sie dazu knuspriges Weißbrot, um die Sauce aufzutunken.

Red Sky at Night

1 Spritzer frisch gepresster Zitronensaft
Zitronenlimonade
1 cl Crème de Cassis

Ein geeistes Longdrinkglas mit Eis füllen und einen großzügigen Spritzer Zitronensaft hineingeben. Mit der Limonade fast bis zum Rand auffüllen und Crème de Cassis einrühren.

Pan Bagnat

Gas direkt, mittlere Hitze / **Weber® Q™** direkt, mittlere Hitze / **Grillkohle** direkt / **Zubereitungszeit** 45 Min. + 2 Std. Marinierzeit + 24 Std. Kühlzeit / **Grillzeit** 8–12 Min. / **Ergibt** 6–8 Stück

1 mittelgroße Aubergine
2 mittelgroße Zucchini
1 große rote Paprikaschote
1 große gelbe Paprikaschote
Öl
Salz und frisch gemahlener schwarzer Pfeffer
2 Knoblauchzehen, zerdrückt
6 EL Olivenöl
2 EL Weißweinessig
1 großer runder Laib Bauernbrot
3 EL schwarze Tapenade (Olivenpaste)
400 g Büffelmozzarella, in Scheiben geschnitten
3 EL Pesto
1 Bund frisches Basilikum mit großen Blättern
6 Eiertomaten, in Scheiben geschnitten

1. Am Vortag die Aubergine putzen und in gut fingerdicke Scheiben schneiden. Die Zucchini putzen und längs ebenso dick in Scheiben schneiden. Die Paprikaschoten halbieren, putzen und die Schoten in breite Streifen schneiden.

2. Das Gemüse mit reichlich Öl vermischen, salzen und pfeffern und bei mittlerer Hitze 8–12 Min. grillen, bis es weich ist, dabei einmal wenden. In eine große flache Schüssel füllen. Knoblauch, Olivenöl und Essig vermischen und über das Gemüse gießen. 2 Std. marinieren lassen.

3. Das obere Drittel des Brotes wie einen Deckel abschneiden und beiseite legen. Mit den Fingern das Brot aushöhlen, dabei einen etwa 1,5 cm dicken Rand stehen lassen. Die Brotkrume wird nicht weiterverwendet.

4. Die Tapenade innen auf dem Brotboden verstreichen. Den Boden mit 1 Lage Auberginen auslegen, gut salzen und pfeffern und 1 Lage Mozzarella daraufgeben. Das Pesto auf dem Käse verstreichen. Es folgt 1 Lage Zucchini, dann 1 Lage rote Paprikaschoten. Erneut kräftig salzen und pfeffern und die Schoten mit Basilikumblättern bedecken. 1 Lage gelbe Paprikaschoten und zuletzt Tomatenscheiben darauflegen. Salzen und pfeffern und den Brotdeckel auflegen.

5. Das gefüllte Brot in Frischhaltefolie einwickeln und mit Gewichten (z. B. vollen Konservendosen) beschweren. 24 Std. kalt stellen; zum Servieren in Tortenstücke schneiden.

Gefüllte Riesenchampignons
mit Camembert, Knoblauch und Basilikum

Gas direkt, mittlere Hitze / **Weber® Q™** direkt, mittlere Hitze / **Grillkohle** direkt
Zubereitungszeit 25 Min. / **Grillzeit** 8–10 Min. / **Für** 6 Personen

2 große Knoblauchzehen, zerdrückt
1 große Hand voll frische Basilikumblätter
4 EL Olivenöl
6 EL frische Weißbrotbrösel
Salz und frisch gemahlener schwarzer Pfeffer
6 Riesenchampignons, gut 10 cm Hutdurchmesser
1 Fleischtomate
200 g Camembert
Öl, zum Bestreichen

1. Knoblauch und Basilikum in der Küchenmaschine zu einer Paste verarbeiten – falls nötig, gleich einen Schuss Olivenöl dazugeben. Anschließend das restliche Öl zugießen und vermixen. 5 EL Brotbrösel hinzufügen, salzen und pfeffern und gründlich vermischen. Beiseite stellen.

2. Von den Pilzen die Stiele entfernen und wegwerfen, die Hüte mit feuchtem Küchenpapier säubern. Die Tomate in 6 Scheiben schneiden. Die Champignons auf der Lamellenseite mit je 1 Tomatenscheibe belegen, leicht salzen und pfeffern und die Knoblauch-Basilikum-Brotbrösel-Mischung in die Pilze füllen. Den Camembert so in Scheiben schneiden, dass man sie auf die Mischung legen kann. Die Pilze mit den restlichen Brotbröseln bestreuen.

3. Die Pilze mit der Füllung nach oben bei mittlerer Hitze 8–10 Min. grillen, bis sie weich sind. Machen Sie die Garprobe, indem Sie mit der Spitze eines Messers hineinstechen.

4. Warm servieren. Dazu passt ein Rucola-Parmesan-Salat.

Champignons
mit Paprika und Käse

Gas direkt, mittlere Hitze / **Weber® Q™** direkt, mittlere Hitze / **Grillkohle** direkt
Zubereitungszeit 15 Min. / **Grillzeit** 8–10 Min. / **Ergibt** 8 Stück

8 Riesenchampignons
8 geröstete Paprikastücke (siehe S. 191), etwa 5 x 5 cm groß
Salz und frisch gemahlener schwarzer Pfeffer
½ TL Chilipulver
Olivenöl, zum Bestreichen

Für die Füllung:
2 Knoblauchzehen, mit ½ TL grobem Meersalz zerdrückt
2 EL Olivenöl
150 g Ricotta
75 g frischer Parmesan, fein gerieben

1. Die Stiele der Pilze abschneiden und wegwerfen. Die Pilze mit feuchtem Küchenpapier säubern.

2. Für die Füllung alle Zutaten in einer nichtmetallenen Schüssel gründlich miteinander verrühren.

3. Je 1 Paprikastück auf die Lamellenseite der Pilze legen, dann so viel Füllung hineingeben, dass die Pilze knapp bis zum Rand gefüllt sind. Mit Salz und Pfeffer würzen und mit Chilipulver bestreuen.

4. Die Unterseite der Pilze mit Öl bestreichen. Mit der Füllung nach oben bei mittlerer Hitze 8–10 Min. grillen, bis die Pilze gebräunt und weich sind.

Wiesenchampignons
mit geschmolzenem Briekäse

Gas direkt, mittlere Hitze / **Weber® Q™** direkt, mittlere Hitze / **Grillkohle** direkt
Zubereitungszeit 10 Min. / **Grillzeit** 8–10 Min. / **Ergibt** 4 Stück

4 flache Wiesenchampignons
Olivenöl, zum Bestreichen
200 g Brie, in sehr kleine Würfel geschnitten
4 EL gehacktes frisches Basilikum oder Koriandergrün
4 EL frische Weißbrotbrösel
Salz und Cayennepfeffer

1. Die Pilze säubern, die Stiele abschneiden und die Hüte auf der Außenseite mit Olivenöl bestreichen.

2. Die restlichen Zutaten miteinander vermischen und die Pilze damit füllen.

3. Die gefüllten Pilze in den Weber Gemüsekorb oder eine Grillschale setzen und bei mittlerer Hitze 8–10 Min. grillen, bis sie weich sind (stechen Sie mit einem spitzen Messer hinein) und der Käse geschmolzen ist.

TIPP

Vergessen Sie nicht, dass die Grillzeit auch vom Wetter abhängen kann. An kühlen Tagen sollten Sie etwas mehr Zeit einrechnen, bei großer Hitze geht es schneller.

Marinierter Tofu vom Grill

Gas direkt, starke Hitze / **Weber® Q™** direkt, starke Hitze / **Grillkohle** direkt
Zubereitungszeit 10 Min. + 1 Std. Marinierzeit / **Grillzeit** 2–4 Min. / **Für** 4 Personen

600 g Tofu (Abtropfgewicht), in 1 cm dicke Scheiben geschnitten
gehacktes Koriandergrün, zum Garnieren

Für die Marinade:
1 Knoblauchzehe, zerdrückt
1 rote Chilischote, Samen entfernt, gehackt
4 EL Sesamöl
2 EL Weißweinessig
8 EL Sojasauce
1 kleine rote Zwiebel, fein gehackt

1. Die Tofuscheiben nebeneinander in eine flache Schüssel legen, die nicht aus Metall sein darf. Die Zutaten für die Marinade miteinander vermischen und über den Tofu gießen. Abgedeckt 1 Std. kalt stellen, einmal wenden.

2. Den Tofu aus der Marinade nehmen. Bei starker Hitze 2–4 Min. grillen, dabei einmal wenden.

3. Mit Koriandergrün garnieren und sofort servieren.

TIPP

Reinigen Sie alle Küchenutensilien gründlich, nachdem Sie Chilis vorbereitet haben, und berühren Sie nicht Ihre Augen, Nase und Mund, bevor Sie sich nicht die Hände gewaschen haben – die ätherischen Öle wirken stark reizend. Ziehen Sie gegebenenfalls Gummihandschuhe an.

Mini-Quesadillas

Gas direkt, mittlere Hitze / **Weber® Q™** direkt, mittlere Hitze / **Grillkohle** direkt
Zubereitungszeit 20 Min. / **Grillzeit** 5 Min. / **Für** 8 Personen

8 weiche Tortilla-Fladen, je 25 cm Durchmesser
250 g reifer Gouda- oder Cheddar-Käse, gerieben
6 Eiertomaten, in kleine Würfel geschnitten, der Saft abgetropft
¼ TL grobes Meersalz
2 Chilischoten, vorzugsweise Jalapeño, Samen entfernt, fein gehackt
25 g grob gehacktes Koriandergrün
2 EL Butter
2 EL Olivenöl

1. Für die Quesadillas die Tortillas auf der Arbeitsfläche auslegen und jeweils auf die Hälfte eines Fladens die Zutaten, außer Butter und Öl, nacheinander aufschichten. Beginnen Sie mit dem Käse. Die freie Hälfte des Fladens über die Füllung klappen und leicht andrücken.

2. Die Butter zerlassen, mit dem Olivenöl vermischen und eine Seite der Quesadillas damit bestreichen. Mit der geölten Seite nach unten bei mittlerer Hitze 5 Min. grillen, nach der Hälfte der Zeit die andere Seite mit der Butter-Öl-Mischung bestreichen und die Quesadillas wenden.

3. Die Quesadillas vom Grill nehmen, in Tortenstücke schneiden und auf einer Servierplatte anrichten. Warnen Sie Ihre Gäste vor dem heißen Käse im Inneren!

Havana Beach

4 cl goldener oder weißer kubanischer Rum
6 cl Ananassaft
1 BL Zuckersirup
Ginger Ale
Ananaswürfel, zum Garnieren

Rum, Ananassaft und Zuckersirup kräftig im Shaker mit zerstoßenem Eis schütteln. Durch ein Barsieb in einen halb mit Eis gefüllten Tumbler gießen. Mit Ginger Ale auffüllen und mit Ananaswürfeln garnieren.

Ziegenkäse in Weinblättern

Gas direkt, starke Hitze / **Weber® Q™** direkt, starke Hitze / **Grillkohle** direkt
Zubereitungszeit 20 Min. + 15 Min. Einweichzeit / **Grillzeit** 4 Min. / **Ergibt** 8 Stück

16 eingelegte Weinblätter
Olivenöl, zum Bestreichen
1 knuspriges Baguette

Für die Füllung:
4 EL Pinienkerne
250 g Ziegenkäse, in 8 Scheiben geschnitten
50 ml Pesto

Außerdem:
8 Cocktailspieße, 30 Min. gewässert

TIPP

Spülen Sie die Salzlake gründlich von den Weinblättern ab, um den intensiven Salzgeschmack zu mildern!

1. Die Weinblätter unter fließendem kaltem Wasser abspülen, dann 15 Min. in kaltem Wasser einweichen. Noch einmal sorgfältig abspülen, anschließend trockentupfen.

2. Für die Füllung die Pinienkerne in einer beschichteten Pfanne bei mittlerer Hitze 5 Min. rösten, bis sie zart goldbraun sind und zu duften beginnen. Vom Herd nehmen.

3. Auf einer sauberen Arbeitsfläche 8 Weinblätter einzeln auslegen und jeweils in die Mitte 1 Scheibe Käse setzen. Pesto daraufklecksen und mit den Pinienkernen bestreuen.

4. Die vier Ecken des Weinblatts über die Füllung schlagen und auf das so entstandene Päckchen ein zweites Weinblatt legen. Umdrehen und die Ecken erneut in die Mitte schlagen. Mit einem Cocktailspieß fixieren.

5. Die Päckchen einölen und bei starker Hitze 4 Min. grillen, bis der Käse zu schmelzen beginnt. Nach der Hälfte der Zeit die Päckchen wenden.

6. In der Zwischenzeit das Baguette in Alufolie packen oder mit Öl bestreichen. Bei starker Hitze direkt auf dem Rost in 3 Min. durchwärmen, dabei jede Minute wenden.

7. Zum Servieren die Päckchen öffnen, nach Geschmack würzen und den Käse ohne die Weinblätter auf einem Stück Baguette essen.

Gegrillte Paprika-Bruschette

Gas direkt, starke Hitze / **Weber® Q™** direkt, starke Hitze / **Grillkohle** direkt
Zubereitungszeit 20 Min. + 25 Min. Abkühlzeit / **Grillzeit** 27–29 Min. / **Ergibt** 16 Stück

Für die Paprikaschoten:
2 große rote Paprikaschoten
2 große gelbe Paprikaschoten
4 EL Olivenöl, plus mehr zum Bestreichen
1 EL Aceto balsamico
½ TL grobes Meersalz
3 EL in Streifen geschnittene frische Basilikumblätter
250 g in Späne geraspelter Pecorino oder Parmesan

Für die Bruschette:
16 Scheiben knuspriges italienisches Sauerteigbrot, 1,5 cm dick
3 EL Olivenöl, plus etwas mehr
2 Knoblauchzehen, geschält, halbiert
½ TL grobes Meersalz

1. Die Paprika rundherum mit Öl bestreichen und die ganzen Schoten etwa 25 Min. bei starker Hitze grillen, bis sie außen angekohlt sind. Dabei alle 4–5 Min. wenden. In eine flache Schüssel legen, mit Frischhaltefolie abdecken und etwa 25 Min. abkühlen lassen.

2. Von allen Schoten die Schale mit einem kleinen Schälmesser abziehen – kleinere Reste, die sich nicht entfernen lassen, stören nicht. Die Schoten halbieren, Trennwände, Samen und Stielansatz entfernen und das Fruchtfleisch in 2,5 cm breite Streifen schneiden. Auf einem Servierteller auslegen.

3. Das Öl und den Essig über die Paprikastreifen träufeln und das Meersalz und die Basilikumstreifen darüberstreuen. Zuletzt die Käsespäne darauf verteilen.

4. Für die Bruschette die Brotscheiben mit dem Olivenöl bestreichen und bei starker Hitze in 2–4 Min. auf dem Grill rösten, nach der Hälfte der Zeit einmal wenden. Die Scheiben nebeneinander auf eine Servierplatte legen und mit einem Tuch bedeckt 2 Min. abkühlen lassen. Anschließend je 4 Brotscheiben auf einer Seite mit der Schnittfläche einer Knoblauchhälfte einreiben, die Brote mit etwas Olivenöl beträufeln und mit ein wenig Meersalz bestreuen.

5. Die Brotscheiben mit den Paprikastreifen belegen und servieren.

KAPITEL 6

Desserts

Gegrillte Pfirsiche
mit Vanillesirup und frischen Himbeeren

Gas direkt, mittlere Hitze / **Weber® Q™** direkt, mittlere Hitze / **Grillkohle** direkt
Zubereitungszeit 5 Min. / **Grillzeit** 3–4 Min. / **Für** 4 Personen

6 reife Pfirsiche oder Nektarinen
2 TL Vanillesirup oder Zuckerrohrsirup, ersatzweise Ahornsirup, plus etwas mehr
1 EL klarer Honig
1 EL Öl
150 g Crème fraîche
200 g frische Himbeeren
frische Minzezweige, zum Garnieren

1. Die Pfirsiche oder Nektarinen halbieren und die Steine entfernen. Sirup, Honig und Öl in einer kleinen Schüssel vermischen und die Früchte damit übergießen.

2. Bei mittlerer Hitze 3–4 Min. grillen, nach der Hälfte der Zeit einmal wenden.

3. Die Crème fraîche in einer Schüssel mit dem Großteil der Himbeeren vermischen.

4. Die heißen Früchte auf Tellern anrichten, mit extra Sirup beträufeln, einen Klecks kalte Himbeercreme daraufsetzen und mit ein paar ganzen Himbeeren und Minze garniert servieren.

TIPP

Probieren Sie dieses Rezept auch mit anderen Früchten, die gerade Saison haben.

Gegrillte Erdbeeren
mit Schokoladen-Dip

Gas indirekt, mittlere Hitze / **Weber® Q™** direkt, niedrige Hitze / **Grillkohle** indirekt
Zubereitungszeit 15 Min. / **Grillzeit** 6 Min. pro Portion / **Für** 6 Personen

350 g Sahne
3 EL Grand Marnier
200 g dunkle Schokolade guter Qualität, gehackt
600 g große, feste Erdbeeren, gewaschen und geputzt
1–2 EL Puderzucker

Außerdem:
Cocktailspieße

TIPP

Lassen Sie den Grand Marnier weg, wenn Sie dieses Dessert für Kinder zubereiten.

1. Die Sahne, den Likör und die Schokolade in einem Topf mit schwerem Boden unter ständigem Rühren behutsam erhitzen, bis die Schokolade geschmolzen und eine dickliche, glänzende Sauce entstanden ist. Vom Herd nehmen und beiseite stellen, während Sie die Erdbeeren grillen. Die Schokoladensauce wird in dieser Zeit noch etwas dicker und haftet anschließend hervorragend an den Früchten.

2. Die Erdbeeren mit Puderzucker bestäuben und portionsweise sorgfältig auf dem Grillrost platzieren, so dass sie nicht hindurchfallen können. Jeweils 6 Min. indirekt bei mittlerer Hitze (Weber® Q™ direkt bei niedriger Hitze) grillen, dabei einmal wenden. Die Erdbeeren dürfen nicht zu weich werden.

3. Die Schokoladensauce in einzelne Dip-Schälchen (z. B. Ramekins) verteilen, die Erdbeeren auf Cocktailspieße stecken und servieren.

In Marsala getränkte Feigen
mit Mascarpone

Gas direkt, mittlere Hitze / **Weber® Q™** direkt, mittlere Hitze / **Grillkohle** direkt
Zubereitungszeit 10 Min. / **Grillzeit** 4 Min. / **Für** 4 Personen

8 frische Feigen, halbiert
4 EL Marsala (italienischer Likörwein)
4 EL Mascarpone
1 EL Puderzucker (nach Belieben)
einige Tropfen Vanille-Extrakt

1. Die Feigen in einer Schüssel mit dem Marsala beträufeln und 5 Min. einziehen lassen, damit sie von dem Wein durchtränkt werden.

2. Mascarpone, Puderzucker und Vanille-Extrakt in einer Schüssel miteinander vermischen.

3. Die Feigen mit der Schnittfläche nach unten bei mittlerer Hitze 4 Min. grillen, nach der Hälfte der Zeit einmal wenden.

4. Die Früchte vom Grill nehmen und heiß mit dem aromatisierten Mascarpone servieren.

TIPP

Statt Mascarpone können Sie nach Belieben auch Ricotta, Crème fraîche oder griechischen Naturjoghurt verwenden.

Heißer Obstsalat mit Garam Masala

Gas direkt, mittlere Hitze / **Weber® Q™** direkt, mittlere Hitze / **Grillkohle** direkt
Zubereitungszeit 15 Min. / **Grillzeit** 10–15 Min. / **Für** 4 Personen

75 g Butter
½ –1 TL Garam Masala (indische Gewürzmischung)
1 EL Puderzucker
2 Bananen, geschält und in Stücke geschnitten
2 Pflaumen, entsteint und geviertelt
2 Nektarinen, entsteint und geviertelt
200 g frische Ananasstücke
Vanilleeis, zum Servieren

1. In einer Grillschale die Butter zusammen mit dem Garam Masala und dem Puderzucker bei mittlerer Hitze auf dem Grill zerlassen.

2. Die vorbereiteten Fruchtstücke hinzufügen, mit der gewürzten Butter behutsam vermischen und 10–15 Min. grillen, dabei umrühren und die Früchte einmal wenden.

3. Den heißen Obstsalat auf Tellern anrichten und mit jeweils 1 Kugel Vanilleeis servieren.

TIPP

Auch mit anderen Früchten wie Pfirsich, Apfel, Birne und sogar Mango schmeckt dieser Obstsalat gut.

KAPITEL 7

Cocktails

Piña Colada

4 cl goldener, weißer oder brauner Rum
6 cl Ananassaft oder ½ Tasse Ananaswürfel
2 Spritzer Angostura (nach Belieben)
2 cl Cream of Coconut (Dose) oder frische Kokosmilch
1 cl Sahne

Alle Zutaten mit 4–5 Eiswürfeln im Mixer fein pürieren. In ein großes Cocktailglas gießen und mit einer großen Spalte Ananas und einer Maraschino-Kirsche dekorieren.

Margarita

Feines Meersalz
3 cl goldener Tequila
2 cl frisch gepresster Limettensaft
2 cl Orangenlikör (Cointreau)

Eine Cocktailschale mit einem Salzrand versehen. Die flüssigen Zutaten im Shaker kräftig schütteln und durch ein Barsieb in das Glas gießen. Mit einer Limettenspalte auf dem Glasrand dekorieren.

Mai Tai

2 cl weißer Rum
1 cl brauner Rum
2 cl Orangensaft
2 cl Aprikosenlikör
1 cl Tequila
1 cl Orangenlikör (Cointreau oder Triple Sec)
2 Spritzer Grenadine
1 Spritzer Amaretto oder Orgeat (Mandelsirup)
1 Spritzer Angostura

Die Zutaten im Shaker mit zerstoßenem Eis kräftig schütteln. Durch ein Barsieb in ein halb mit zerstoßenem Eis gefülltes großes Cocktailglas gießen. Mit Orangen-, Zitronen- und Limettenscheiben, einer Maraschino-Kirsche und einem frischen Minzezweig dekorieren.

Bamboozle
(alkoholfrei)

6 cl Guavensaft
4 cl Orangensaft
4 cl Maracujasaft
1 Spritzer frisch gepresster Limettensaft
Sodawasser (nach Belieben)

Die Säfte mit zerstoßenem Eis in einen Shaker geben und kräftig schütteln. Durch ein Barsieb in ein halb mit zerstoßenem Eis gefülltes Longdrinkglas gießen. Nach Belieben mit Sodawasser auffüllen. Mit einem Bambuszweig dekorieren.

Caribbean Champagne Cocktail

1 BL weißer Rum
1 BL Bananenlikör
1 Spritzer Angostura
eisgekühlter Champagner

Rum, Bananenlikör und Angostura in ein Champagnerglas gießen. Mit Champagner auffüllen und vorsichtig umrühren. Mit Bananenscheiben, einer Maraschino-Kirsche und einem Ananasblatt dekorieren.

Windward Island

2 cl goldener Rum
1 cl Kaffeelikör (Tia Maria)
Cola

Rum und Kaffeelikör kräftig in einem mit zerstoßenem Eis gefüllten Shaker schütteln. Durch ein Barsieb in einen mit Eiswürfeln gefüllten Tumbler gießen. Mit Cola auffüllen und mit Orangenscheiben dekorieren.

Pink Lady

4 cl Sake (japanischer Reiswein)
2 cl Wodka
1 cl Gin
1 cl Orangenlikör
(Cointreau oder Triple Sec)

Die Zutaten mit zerstoßenem Eis in ein Rührglas geben. Umrühren und durch ein Barsieb in ein Cocktailglas gießen. Mit einer Maraschino-Kirsche dekoriert servieren.

Stinger

4 cl Weinbrand
4 cl Crème de Menthe
2 cl frisch gepresster
Limettensaft

Die Zutaten mit zerstoßenem Eis kräftig in einem Shaker schütteln. Durch ein Barsieb in ein eiskaltes Longdrinkglas gießen und mit einem Streifen unbehandelter Limettenschale dekorieren.

Sloe Gin Fizz

6 cl Sloe Gin (Gin mit Schlehenaroma)
4 cl Vermouth Bianco
2 cl frisch gepresster Zitronensaft
Sodawasser

Gin, Vermouth und Zitronensaft in einem Shaker mit zerstoßenem Eis kräftig schütteln. Durch ein Barsieb in ein Longdrinkglas gießen. Eiswürfel dazugeben und mit Sodawasser auffüllen.

Thai Tiger

2 cl Zitronengras-Ingwer-Sirup (siehe rechts)
4 cl frischer Kokosnusssaft (nach Belieben)
2 cl Wodka
1 kleine Chilischote, Samen entfernt, in Ringe geschnitten
3 cl frisch gepresster Limettensaft
Zitronenlimonade

Den Sirup, nach Belieben den Kokossaft, Wodka, Chiliringe und Limettensaft mit zerstoßenem Eis in einen Shaker geben und kräftig schütteln. Durch ein Barsieb in ein halb mit zerstoßenem Eis gefülltes Longdrinkglas gießen. Mit Zitronenlimonade auffüllen und mit einem Stängel Zitronengras, einem Stückchen Chili und einer schmalen Limettenspalte dekorieren.

Zitronengras-Ingwer-Sirup:
1 Stängel Zitronengras zerdrücken, 1 gut daumengroßes Stück frische Ingwerwurzel schälen und klein schneiden und beides mit 1–2 Limettenblättern, 250 g grobem Zucker und 125 ml Wasser in einen Topf geben. Unter Rühren langsam zum Kochen bringen und 3–5 Min. köcheln lassen. Je länger der Sirup kocht, umso konzentrierter wird er. Abkühlen lassen, in eine Flasche füllen und im Kühlschrank aufbewahren.

Sea Mist

6 cl Preiselbeer- und Himbeersaft
6 cl rosa Grapefruitsaft
4 cl Wodka
in Eiswürfel eingefrorene Limetten- und Zitronenscheiben

Die Zutaten in einem Shaker mit zerstoßenem Eis kräftig schütteln. Durch ein Barsieb in ein Longdrinkglas gießen, das mit den Eiswürfeln gefüllt ist.

Cosmopolitan

3 cl Zitronenwodka (z. B. Absolut Citron)
1 cl Triple Sec
1 Spritzer frisch gepresster Limettensaft
2 cl Preiselbeersaft
flambierte unbehandelte Orangenschale

Alle flüssigen Zutaten mit Eis im Shaker schütteln und in ein geeistes Martiniglas gießen. Ein kleines, ovales Stück aus der Orangenschale mit weißer Zwischenhaut fest zusammendrücken und über eine Flamme halten. Die ätherischen Öle der Schale entzünden sich und verbreiten ein fantastisches Aroma. Die flambierte Orangenschale in den Cocktail geben.

Long Island Iced Tea

1 cl goldener Rum
1 cl Gin
1 cl Wodka
1 cl Tequila
1 cl Orangenlikör (Cointreau oder Triple Sec)
1 cl Zuckersirup
2 cl frisch gepresster Limettensaft
Cola

Alle Zutaten außer der Cola in einem Shaker mit zerstoßenem Eis kräftig schütteln. Durch ein Barsieb in ein halb mit Eis gefülltes Longdrinkglas gießen. Nach Geschmack mit Cola auffüllen und mit einer Limettenspalte dekorieren.

Daiquiri

6 cl weißer Rum
2 cl frisch gepresster Limettensaft
½ BL Zuckersirup

Die Zutaten in einem Shaker mit zerstoßenem Eis schütteln. Durch ein Barsieb in ein geeistes Cocktailglas gießen. Mit einer Limettenscheibe und einer Maraschino-Kirsche dekorieren.

Dry Martini

8 cl Gin
2 cl Dry Vermouth

Die Zutaten mit zerstoßenem Eis in ein Rührglas geben und umrühren. Durch ein Barsieb in ein geeistes Cocktailglas gießen und mit einer entsteinten grünen Olive dekoriert sofort servieren.

Planters' Punch

6 cl jamaikanischer Rum
2 cl frisch gepresster Limettensaft
1 BL Zucker
1 Spritzer Angostura
Sodawasser

Rum, Limettensaft, Zucker und Angostura in einem Shaker mit zerstoßenem Eis schütteln. Durch ein Barsieb in ein halb mit zerstoßenem Eis gefülltes Longdrinkglas gießen. Mit Sodawasser auffüllen. Dekorieren Sie den Cocktail mit einer Maraschino-Kirsche, einem Ananaswürfel, einer Orangenscheibe und einem frischen Minzezweig.

Limoncello Italiano

4 cl Wodka oder Zitronenwodka
1 cl Zitronensaft
1 cl Teil Zuckersirup
Zitronenlimonade

Wodka, Zitronensaft und Zuckersirup mit zerstoßenem Eis in einem Shaker schütteln. Durch ein Barsieb in ein Longdrinkglas gießen, in dem eine lange, spiralenförmige Zitronenschale hängt und das halb mit zerstoßenem Eis gefüllt ist. Mit Zitronenlimonade auffüllen.

Moulin Rouge

8 cl Ananassaft
1 cl Weinbrand
Sekt oder Champagner

Den Ananassaft und den Weinbrand in einem Shaker mit zerstoßenem Eis schütteln. Durch ein Barsieb in ein halb mit zerstoßenem Eis gefülltes Longdrinkglas gießen. Mit Sekt oder Champagner auffüllen und umrühren.

Bellini

6 cl eiskalter trockener Sekt oder Champagner
2 cl eiskalter Pfirsichsaft

Den Sekt oder Champagner und den Pfirsichsaft in eine Sektschale gießen. Vorsichtig mit einem Rührstab (Stirer) aus Glas umrühren. Mit einer dünnen Pfirsichscheibe dekorieren.

Sol y Sombre

2 cl Anisette
2 cl Weinbrand

Den Anisette in ein Schnapsglas gießen. Behutsam den Weinbrand über den Rücken eines Barlöffels darüberfließen lassen, so dass der Weinbrand über dem Anisette steht.

Rusty Nail

4 cl Scotch Whisky
2 cl Drambuie (Whiskylikör)

Die Zutaten in ein Rührglas geben und umrühren. Durch ein Barsieb in einen mit Eis gefüllten Tumbler gießen. Mit einem langen, spiralförmigen Streifen Zitronenschale dekorieren.

Rising Sun

4 cl Wodka
4 cl frisch gepresster Grapefruitsaft
1 cl Maracujasirup
Saft von ½ Zitrone

Alle Zutaten in einen Shaker geben und gut schütteln. Durch ein Barsieb in ein mit Eis gefülltes großes Cocktailglas gießen. Mit einer Scheibe rosa Grapefruit dekorieren.

Mint Haze (alkoholfrei)

2 BL Zucker
5 frische Minzeblätter
1 Spritzer frisch gepresster Limettensaft
Apfelsaft
Sodawasser

Den Zucker mit der Minze in einem Mörser zerreiben. Den Rand eines großen Cocktailglases anfeuchten und in den Zucker tupfen. Etwas Zucker mit 3–4 Eiswürfeln ins Glas geben, den Limettensaft zugießen und mit Apfelsaft und so viel Sodawasser auffüllen, dass der Cocktail sprudelt.

Almond Breeze

2 cl weißer Rum
1 Spritzer Amaretto
1 cl Melonenlikör
Tonic Water

Den Rum und die Liköre in einem Shaker mit zerstoßenem Eis schütteln. Durch ein Barsieb in ein halb mit zerstoßenem Eis gefülltes Longdrinkglas gießen. Mit Tonic Water auffüllen.

Acapulco Gold

4 cl Ananassaft
2 cl Grapefruitsaft
2 cl Tequila
2 cl goldener Rum
2 cl Kokosmilch

Die Zutaten mit zerstoßenem Eis in einen Shaker füllen und gut schütteln. Durch ein Barsieb in ein halb mit zerstoßenem Eis gefülltes großes Cocktailglas gießen und mit einem Strohhalm servieren.

Kiwi Kraze

6 cl Kiwi-Nektar
2 cl Gin
1 kräftiger Spritzer Absinth
Tonic Water

Den Kiwi-Nektar, Gin und Absinth in einen Shaker mit zerstoßenem Eis schütteln. Durch ein Barsieb in einen großen Tumbler gießen, der halb mit zerstoßenem Eis gefüllt ist. Mit Tonic Water auffüllen und mit einer Scheibe Kiwi dekorieren.

Register

Damit Sie Rezepte mit bestimmten Zutaten noch schneller finden können, stehen in diesem Register zusätzlich auch wichtige Zutaten – ebenfalls alphabetisch geordnet und halbfett gedruckt – über den entsprechenden Rezepten. *Kursive* Zahlen weisen auf Haupteinträge hin.

Autoren der Rezepte

Matthew Drennan: Seiten 30, 31, 32, 33, 34, 35, 74, 76, 77, 80, 100, 101, 104, 105, 108, 109, 121, 122, 123, 133, 134, 138, 139, 148, 149, 152, 153, 162, 163, 170, 171, 180, 181,

Scott Givot: Seiten 40, 41, 46, 47, 52, 53, 54, 57, 58, 59, 60, 63, 65, 66, 69, 75, 79, 86, 89, 92, 93, 95, 98, 103, 129, 132, 135, 145, 147, 155, 156, 158, 161, 178, 197, 188, 191,

Lucy Knox: Seiten 38, 42, 43, 45, 48, 51, 68, 72, 81, 82, 85, 90, 106,111, 112, 113, 114, 117, 118, 119, 120, 127, 130, 136, 141, 142, 146, 150, 159, 166, 168, 169, 173, 174, 177, 182, 184, 185, 194, 196, 197, 199

Bildnachweis

Gus Filgate [Küche: Joy Skipper]: Seiten 55, 56, 60, 62, 64, 67, 70–71, 73, 78, 87, 88, 99, 102, 128, 144, 154, 157, 160, 179, 186, 189, 190, 200–201, 203, 209, 215

Gareth Sambidge [Küche: Caroline Marson]: Seiten 36–37, 39, 44, 49, 50, 83, 84, 91, 94, 96–97, 107, 110, 115, 116, 124–125, 126, 131, 137, 140, 143, 151, 164–165, 167, 172, 175, 176, 183, 198–199, 195, 198

Styling: Penny Markham